Цветочное алиби
Золото фамильного склепа
Казино «Пляшущий бегемот»
Миллион под брачным ложем
Фанат Казановы
Когда соблазняет женщина
Рай на пять звезд
Секреты бабушки Ванги
Гетера с лимонами
Любовник от бога
Наследница английских лордов
Третья степень близости
Миланский тур на двоих
Стучат — закройте дверь!
Берегись свекрови!
Перед смертью не накрасишься
Челюсти судьбы
Дай! Дай! Дай!
Полюблю и отравлю
Три принца для Золушки
Умри богатым!
Ночь любви в противогазе
Дудочка альфонса
Шито-крыто!
Киллер на диете
Бабы Али-Бабы
Королевские цацки
Теща-привидение
Почему мужчины врут
Русалочка в шампанском
Амазонки под черными парусами
Верхом на птице счастья
Волшебный яд любви

Приворот от ворот
Рука, сердце и кошелек
Алмаз в декольте
Игры любвеобильных фей
Рай в неглиже
Царевна золотой горы
Колючки на брачной постели
Поцелуй вверх тормашками
Поваренная книга вуду
Двойная жизнь волшебницы
Босиком по стразам
Развод за одну ночь
На шпильках по джунглям
Жертвы веселой вдовушки
Дело гангстера боится
Гарем шоколадного зайки
Любовь до хрустального гроба
Сердце красавицы склонно к измене
Властелин брачных колец
Огонь, вода и медные гроши
Без штанов — но в шляпе
Обещать — не значит жениться
Знойная женщина — мечта буржуя
К колдунье не ходи
Хозяйка праздника жизни
Затащи меня в Эдем
На стрелку с ангелами
Последняя ночь под звездами
Папа Карло из Монте-Карло
Клад Царя Гороха
Готовь завещание летом
С царского плеча
Свет в конце Бродвея

Дарья
КАЛИНИНА

Свет в конце Бродвея

Москва

эксмо

2014

УДК 82-3
ББК 84(2Рос-Рус)6-4
К 17

Оформление серии *С. Прохоровой*

Калинина Д. А.

К 17   Свет в конце Бродвея : роман / Дарья Калинина. — М. : Эксмо, 2014. — 320 с. — (Детектив-приключение Д. Калининой).

ISBN 978-5-699-71659-3

В поместье «Дубочки», куда Инга приехала погостить к лучшей
подруге Алене и ее мужу Василию, обстановка явно не способ-
ствовала спокойному отдыху. По утверждению подруги, здесь вот-
вот должно было случиться что-то страшное, а сама она не далее
как сегодня едва избежала смерти — на нее напало неизвестное
науке чудовище, которое... никто, кроме самой Алены, не видел!
Обратиться за помощью Инге, решившей разобраться в происходящем, не к кому: ее давний поклонник, начальник охраны Василия Ваня нашел новую пассию, молоденькую Нюшу, и полностью
был поглощен своей личной жизнью. Потом люди вокруг начали
погибать один за другим... Теперь Инге точно гарантирован при-
вычный отдых — рискованные приключения!

УДК 82-3
ББК 84(2Рос-Рус)6-4

ISBN 978-5-699-71659-3

ГЛАВА 1

Жизнь за городом всегда отличается некоторой неспешностью и плавностью. Все, что происходит здесь вокруг вас, происходит в каком-то замедленном ритме. И в отличие от городской жизни эта неторопливость никого не раздражает. Все словно бы понимают, только так и надо тут жить. Условия за городом другие, и сама жизнь тоже другая. Да и само время течет по-иному. Вроде бы никуда особо не спешишь, но при этом всегда и всюду успеваешь.

И вот что интересно: чем дальше находится этот самый «загород» от крупного мегаполиса, тем сильней замедляется время в нем.

Именно об этом думала Инга, высунув голову в окно и наслаждаясь окружающим ее видом. Поместье Дубочки, где она находилась в гостях у своей подруги Алены и ее мужа, располагалось в таком захолустье, что иначе как медвежьим углом его и назвать было нельзя. Кстати говоря, по утверждению местных жителей, медведи в округе и впрямь водились. Да и сам Василий Петрович — супруг Алены — неоднократно приглашал на медвежью охоту своих приятелей, и всегда они возвращались из леса с добычей.

Но сейчас было лето, никаких медведей не наблюдалось. Во всяком случае, поблизости от усадьбы точно. А был лишь чудный вид на тщательно ухоженную лужайку перед домом, фонтан в виде пары пионеров — мальчика с горном и девочки в трогательном платьице и косынке. Это был привет из советского прошлого, ностальгия по которому и заставила Василия Петровича спасти эту скульптуру от уничтожения, выкупив в каком-то парке культуры и превратив ее затем в форму для декоративного элемента фонтана.

И наблюдая великолепный заход солнца, который успел окрасить алым цветом весь горизонт, Инга невольно восхитилась тишиной и покоем, окружающими ее. Она приехала сегодня после полудня. Ее уже ждал накрытый стол, который буквально ломился от обилия домашних вкусностей. После трапезы Инга внезапно почувствовала тяжесть в веках.

— Пойди полежи, — предложила ей заботливая Алена. — Похоже, тебе это просто необходимо.

Инга хотела всего лишь немного вздремнуть, но она проспала весь остаток дня до самого вечера.

Облака на фоне алого заката казались ей совсем серебряными, а там, где на них падали лучи заходящего солнца, они становились цвета свежей лососины.

— Никогда не видела такого яркого заката.

Инга вздрогнула и обернулась. Так и есть, в дверях комнаты стояла драгоценная Аленка, самая верная и преданная ее подруга.

— Как спалось с дороги? — поинтересовалась Алена, подходя ближе и становясь рядом с Ингой, и, не дожидаясь ее ответа, добавила: — Красиво, верно?

— Да, очень красиво! — искренне отозвалась Инга. — Ничто не сравнится с красотой нашей российской природы.

— Вот и я никогда не устаю любоваться закатами. Они здесь совершенно особенные.

Какое-то время женщины молча смотрели на закат. А потом Алена сказала:

— Вообще-то я пришла, чтобы пригласить тебя к ужину.

— Опять будем есть? Знаешь, я как-то еще не успела проголодаться.

— Это тебе только так кажется, — успокоила ее Алена. — На свежем воздухе как все быстро засыпает, так быстро и просыпается, и аппетит в том числе.

И так как Инга все еще мешкала, Алена поторопила ее:

— Пойдем, а то Василий Петрович весь там в жутком нетерпении.

В голосе Алены сквозила нервозность. Она быстро прошла к дверям, поняла, что Инга сомневается, снова вернулась к ней и повторила:

— Пойдем, а то Вася не разрешает нам без тебя начинать ужинать, но в то же время боится, как бы не остыла его замечательная рыба.

— А кому это «нам»?

— Разве я тебе не сказала? К нам приехали гости. Очаровательная супружеская пара, им обоим уже хорошо за семьдесят, но их бодрости можно только позавидовать. Да, и с ними их дети.

— Дети?

— Пошли, сама все увидишь, — нетерпеливо произнесла Алена.

Она снова двинулась к дверям, говоря на ходу:

— А то пока мы тут с тобой прохлаждаемся, бедный Василий Петрович там весь на нервах.

Похоже, на нервах тут кто-то другой. Еще днем Инге показалось, что Алена сама не своя. Пока Инга насыщалась после долгой дороги, подруга поминутно вскакивала из-за стола вроде бы на кухню с указаниями, но так и не добиралась, возвращалась, садилась и снова вскакивала.

Но сейчас было явно неподходящее время для выяснения правды. И Инга всего лишь сказала:

— Ты иди, успокой его. Скажи, я сейчас приду.

Алена убежала. Инга поспешно привела себя в порядок и тоже спустилась вниз. Но, к ее удивлению, она не увидела в столовой ни накрытого стола, ни каких-либо иных приготовлений к ужину. Не говоря уже о том, что и самих хозяев не было видно.

— Вы проходите в сад, пожалуйста, — раздался бойкий девичий голосок. — Они вас там ждут.

Инга взглянула в ту сторону, но никого не разглядела. Тем не менее, пожав плечами, она последовала в указанном ей направлении и вскоре увидела большую компанию, собравшуюся в беседке. Оттуда тянуло ароматным дымком, запахом копченостей и раздавались веселые голоса. Инга поняла: Василий Петрович все же осуществил свою давнишнюю мечту — построил беседку для барбекю.

Впрочем, когда она подошла ближе, то поняла, что сегодня им предстоит наслаждаться не барбекю, а копченой рыбой. В центре стола уже было водружено несколько тарелок, на каждой из которых лежал свой вид рыбы.

Василий Петрович первым заметил подругу своей жены, бредущую к ним через лужайку. Он тут же вскочил на ноги и радостно воскликнул:

— Инга! Ну наконец-то! Дай мне тебя расцеловать скорее!

Инга с удовольствием обняла Василия Петровича, которого искренне любила и которым так же искренне восхищалась. Когда она приехала, его не было дома. И только сейчас старые друзья смогли как следует поприветствовать друг друга.

Василий Петрович был человеком простым, душевным и очень открытым. И еще он был справедлив. Даже если ему приходилось порой в жизни поступать жестко, все равно никто бы не мог назвать его поступок нечестным.

— Садись за стол, пигалица, — велел Василий Петрович покрасневшей от смущения и удовольствия Инге.

Никто не называл ее пигалицей вот уже лет тридцать с гаком. Ровно с тех пор, когда какой-то верзила-старшеклассник обозвал школьницу с двумя огромными белыми бантами и букетом гладиолусов, который был так велик, что первоклашка Инга с трудом держала его в своих руках. Тогда это обидное словечко чуть не испортило Инге все ее самое первое в жизни первое сентября. Она прорыдала всю торжественную линейку и немного успокоилась лишь после того, как ее за руку отвела в школу другая старшеклассница, показавшаяся тогда Инге совсем взрослой девушкой.

Но то прозвище, которое когда-то заставило Ингу горько рыдать, теперь доставило ей несказанное удовольствие. Она — пигалица! Наверное, только Василий Петрович нынче и может сказать такое ей — взрослой и состоявшейся сорокалетней женщине, имеющей совсем взрослого сына.

— Ну, чего задумалась! — вернул Ингу в реальность голос радушного хозяина. — Рыбу специально для тебя закоптил. Знаю, ты к мясу равнодушна. Поэтому первым делом рыбка, а затем мы — мужики — и копченого окорока отведаем. Пока с рыбой управимся, он как раз и подоспеет.

Значит, будет еще и домашняя ветчина. Вот уж поистине широта гостеприимной души Василия Петровича не знала предела.

— Знакомиться-то с нашими друзьями будешь?

Инга поспешно кивнула и по очереди протянула руку сначала высокой темноволосой женщине, чье гладкое лицо было почти лишено морщин, отчего она казалась куда моложе своих лет.

— Мария Петровна.

Инга тоже представилась, а затем протянула ладошку седовласому старцу, обладателю густой, тщательно ухоженной бороды и довольно приличной еще шевелюры. Рядом с ним стояла красивая трость, видимо, помогавшая старцу при ходьбе. Но держался он очень прямо и даже гордо, взгляд у него был умный и с какой-то хитрецой.

— Виктор Андреевич.

— Очень приятно.

— Мне тоже приятно, голубушка, — ласково прогудел Виктор Андреевич. — Алена не преувеличила, вы и впрямь снежная королева. Холодная красавица, заставляющая мужчин сходить с ума от вашей недоступности.

— Да что вы, — окончательно смутилась Инга. — Я совсем не королева.

— А выглядите просто по-королевски.

— Витюша, хватит девочку смущать, будет тебе, — смеясь, осадила этого донжуана его жена. — Видишь, она сама не своя от твоих комплиментов.

Кроме пожилой пары и Василия Петровича с Аленой, в беседке находились еще двое молодых людей. Оказалось, что это сыновья Виктора Андреевича и Марии Петровны от их первых браков — Сева и Вова. Мужчинам было на вид лет по сорок или чуть больше. И они оба оказались молчаливыми. На них внешность Инги не произвела никакого впечатления. Они лишь сдержанно кивнули ей и почти сразу же вновь уткнулись в свои тарелки.

А вот Виктор Андреевич был любителем поболтать, еда интересовала его куда меньше, чем застольная беседа.

— Мы с Машенькой знаем друг друга еще с юности. Но смогли воссоединиться и быть вместе лишь в очень зрелом возрасте. Когда мы познакомились с ней, у нас у обоих были семьи, маленькие дети. Ответственность перед семьями не позволила нам оставить их. Но теперь Маша вдова, а мы с моей супругой давно перестали понимать друг друга, стали чужими людьми. Поэтому, как только я сумел оформить развод, я сразу же сделал Маше предложение. К чему тянуть время? В нашем возрасте каждый день может стать последним.

— Это в любом возрасте может случиться, — деликатно произнесла Инга.

— Но согласитесь, с пожилыми людьми такое происходит все же куда чаще? — с улыбкой возразил ей Виктор Андреевич.

Инга не нашлась, что ответить. Она впервые видела человека, который бы столь непринужденно шутил на тему собственного конца. Инга подумала, что Виктор Андреевич человек явно незаурядный, и вскоре имела возможность убедиться в собственной правоте.

— А чем занимается ваш муж? — спросила она у Марии Петровны, которая оказалась ее соседкой по столу.

Виктор Андреевич переключился на хозяина застолья, так что у женщин появилась возможность тихонько посплетничать между собой.

— Виктор занимается научной работой. Он — физик-теоретик.

— Как интересно. А вы?

— Я тоже.

— Вы вместе работаете?

— Работали когда-то. Но теперь я занимаюсь хозяйством, а вот Витюша до сих пор трудится в своем институте. И честно говоря, я этому очень рада. Для Виктора крайне важно, что он до сих пор может приносить пользу людям, может делать свой ежедневный вклад в науку. Мне кажется, если он выйдет на пенсию, то очень быстро угаснет.

Однако вдоволь поговорить им не удалось. Поедание копченой рыбы требовало сосредоточенности и внимания. Костей в ней было предостаточно, правда, благодаря их размерам справиться с ними не составляло особого труда. Это когда рыбешка мелкая, то с косточками приходится повозиться. Но когда рыба длиной с руку взрослого человека, дело совсем другое.

На столе был выставлен целый ассортимент речной рыбы: большой лещ, килограмма на два, три форельки, каждая примерно по килограмму. И наконец, было блюдо с рыбным ассорти — окуни, сибас и судак.

— Ни карасей, ни плотвы я никогда не беру. Вкус у этой рыбы совсем не тот, что нужен.

Василий Петрович, видя, как все уплетают его рыбу за обе щеки, был откровенно доволен удавшимся застольем.

— Я никогда не режу рыбу на части и не чищу чешую, — делился он со всеми секретом приготовления своей рыбы, которая и впрямь была потрясающе вкусной, буквально таяла во рту. — Удаляю лишь жабры и внутренности. Хорошенько солю и оставляю на часок в тепле. Слежу лишь за тем, чтобы мухи к ней не пробрались. Затем убираю ее в холодильник еще на несколько часов. Если утром засолить, то к вечеру рыба уже просолится. Останется только смыть с нее излишки соли и засунуть в коптилку.

— Ни перца, ни пряностей?

— Никогда! Из ароматов только натуральная ольха. Именно из ее опилок получается самый лучший дым.

Коптилка у Василия Петровича была тоже знатная. По его собственному утверждению, там запросто мог поместиться целый поросенок или громадная стерлядь.

— В следующий раз угощу вас собственными осетровыми, — пообещал Василий Петрович. — Развел мальков, теперь жду урожая.

— Некоторые из наших рыбок уже размером с локоть, — добавила Алена.

— Нашла чем хвастаться! — тут же осадил супругу Василий Петрович. — Осетровых меньше метра длиной и рассматривать не стоит! Ерунда, а не рыба. Одна кожа и панцирь. Даже несмотря на то, что вместо костей у них хрящи, есть там все равно нечего.

Алена замолчала, лукаво поглядывая на подругу и гостей. Она умела пропускать некоторые высказывания Василия Петровича мимо ушей, прекрасно сознавая, насколько глубоко предан ей муж. Ну а если некоторый недостаток воспитания в нем все же и имеется, это с лихвой окупается его честным и открытым сердцем.

Инга и сама не заметила, как справилась с огромным куском, который лежал у нее на тарелке. Теперь перед ней громоздилась лишь куча костей и кусок чешуи, которую она не стала жевать лишь потому, что ей это показалось не совсем приличным. А так она обязательно соскребла бы все остатки со шкурки, потому что в мясе самое вкусное — это косточки. А в копченой рыбе — это ее нежная и жирная кожа, спрятавшаяся под самой чешуей.

— Разрешите, я поменяю вам тарелочку?

Возле Инги прозвучал вновь тот же самый голос, который направил ее в сад. На сей раз Инга сумела рассмотреть говорившую. Это оказалась миловидная девушка, по виду совсем еще ребенок. Удивившись, что видит перед собой незнакомое лицо, Инга машинально протянула девушке свою тарелку.

— Не удивляйся, дорогая, это наша новая помощница — Нюша, — произнесла Алена. — Хорошая девочка, отличница. Поступила в этом году в институт. Представляешь, сама поступила! Без всякого блата и репетиторов.

— Алена Игоревна, но вы же сами оплачивали мне подготовительные курсы. Я на них весь год ездила. Или вы об этом забыли?

Судя по лицу Алены, она об этом действительно забыла и сейчас была сильно смущена. Алена была из породы тех людей, кто жертвует легко и тут же забывает о сделанном ею добром деле, отпуская его в этот мир дальше делать хорошее, доброе, светлое.

Когда Нюша отошла, Алена наклонилась к Инге и прошептала:

— На самом деле Нюша — племянница нашего Вани.

Инга, которая как раз в этот момент присматривалась к форельке, от изумления обо всем забыла и уставилась на Алену:

— Да ты что? Ты мне о ней ничего не рассказывала!

Алена еще больше понизила голос и, приблизившись вплотную к Инге, произнесла:

— Ну, то есть он говорит всем, что это его племянница. Но лично у меня есть совсем другие сведения. И мне кажется, она ему совсем не племянница.

— Не племянница? А кто же тогда? Дочь?

— Нет, ну ты совсем уже! — вспылила Алена. — Какая дочь? Любовница она его!

— Что?

— Поэтому я тебе ничего и не говорила. Не знала, как ты отнесешься к тому, что у Вани есть столь юная любовница.

— Она его любовница!

Инга не сдержалась и ахнула слишком громко, так что на нее уставились все сидящие за столом. Даже Сева с Вовой оторвали глаза от своих тарелок и взглянули на Ингу с некоторым интересом впервые за все время совместной трапезы. Если не считать краткой процедуры знакомства, то Сева с Вовой вообще не отвлекались на посторонние раздражители. Они ели, ели и ели, складывая в себя продукты — Сева методично и сосредоточенно, как хороший хозяин складывает вещи в кладовую, а Вова пожирал рыбу откровенно жадно.

Разница в темпераменте у этих двоих сказывалась даже во время еды. И у Инги, наблюдавшей за ними, невольно мелькнула мысль: интересно, а как эти взрослые детки относятся к свадьбе своих более чем пожилых родителей? Ей почему-то казалось, что оба отпрыска не были в восторге от новоприобретенных отчима и мачехи.

Сева был высокий, массивный и широкоплечий, с мясистым лицом и грубыми чертами. Его густые черные волосы лежали красивыми волнами, казалось, без всяких ухищрений парикмахера. Нос у него был прямой и тоже мясистый. Вова не мог похвастаться шикарной фигурой или прической. Был он пухленький, с носом картошечкой и редкими светленькими волосинками, которые с трудом прикрывали его череп.

Однако, если Сева выглядел глуповатым, в глазах Вовы, напротив, светилась жизнь. Он был куда шустрее своего медлительного новообретенного брата. И именно Вове доставались все лучшие куски с общего блюда. Сева это замечал. Он с завистью косился на каждый новый кусок, который тащил к себе в тарелку Вова. И это несмотря на то, что у него самого тарелка была на тот момент полна до краев.

До сих пор мужчин не интересовало ничего, кроме еды. Но теперь они утолили свой голод, перед ними высились внушительные кучи из обглоданных рыбьих хребтов, голов и чешуи. И они были не прочь еще как-нибудь развлечься. Так что возглас Инги оказался как нельзя более кстати.

— О чем это вы там сплетничаете? — поинтересовался Вова.

А Сева хохотнул, заговорщицки пихнув брата в бок:

— Больше двух говорят вслух!

Вова на всякий случай отодвинулся подальше от здоровяка братца и обратился к Алене. На сей раз его голос звучал сварливо:

— А почему у вас только одна официантка? Она не справляется со своей работой.

— Нюша старается как может.

— За весь ужин она к нам ни разу не подошла.

Тут Вова был прав. Почему-то девушка Нюша, прислуживающая за столом, постоянно крутилась возле Инги и хозяйки, иногда подходя к старикам, и совсем не обращала внимания на двух их сыновей.

— Нюша сама вызвалась прислуживать за столом. Вообще-то в ее обязанности это не входит, — чуточку виновато отозвалась Алена. — Но девочка очень хотела лично нам всем услужить. Я не смогла ей отказать в этой просьбе.

И, поманив девушку, она спросила у нее:

— Нюша, в чем дело? Ты не справляешься?

— Алена Игоревна, — виновато зашептала Нюша на ухо хозяйке. — Не в этом дело. Просто они... они щиплются.

— Что они делают?

— Щиплются. Как подойду, этот лысенький меня все время по ноге гладит, а второй за попу щиплет! И главное, так больно это делает. У меня теперь, наверное, синяки останутся.

Пока Алена размышляла, как ей поступить, Инга с интересом рассматривала девушку. Неужели Алена права? Неужели Ваня совратил эту крошку? Нюша была совсем невелика ростом и худенькая. Она была молода, от нее пахло молоком и травами. К тому же девушка являлась обладательницей густых русых волос, которые был не в состоянии сдержать даже массивный, обтянутый красным бархатом ободок. Но в целом лицо Нюши было простовато, глаза небольшие и совсем невыразительные. Если правда то, о чем успела посплетничать Алена, то совершенно непонятно, что нашел Ваня в этой совсем простенькой девчонке.

Впрочем, она, кажется, умненькая. В институт поступила, да еще без всяких знакомств.

И Инга решила, что потом еще улучит минутку, чтобы побеседовать с Нюшей и составить о ней окончательное мнение. Если бы Ингу кто-нибудь спросил, зачем ей вообще это нужно и какое ей дело до того, что собой представляет Нюша, то она, пожалуй, затруднилась бы с ответом. И действительно, зачем ей было узнавать Нюшу так близко? Но на самом деле Инге хотелось понять, в надежные ли руки передает она своего Ваню. Ведь Ваня числился в поклонниках Инги так долго, что она и сама уже толком не помнила, когда это все у них с Ваней началось.

Впрочем, ревности в Инге не было. Роман между ней и личным телохранителем Василия Петровича был исключительно платоническим. Да и существовал он почти полностью в голове у одного Вани. Сама Инга всегда несколько с усмешкой относилась к чувствам простоватого для нее охранника. И даже несмотря на героическое прошлое Вани — ему довелось поучаствовать в афганской войне и отличиться на ней, — Инга никак не могла найти в своем сердце хоть капельку истинной любви к герою.

«Так что если он даже и влюбился в другую, то это даже лучше», — пыталась убедить саму себя Инга, но, черт подери, у нее почему-то ничегошеньки не получалось!

На сердце стало тяжело и как-то суетно. И тогда Инга решила: сразу же после ужина она улучит минутку и побеседует с Нюшей с глазу на глаз. Должна же Инга знать, что за типша эта новая знакомая их дорогого Вани!

— И давно она у вас?

— Да уж почти год.

— И как она тебе?

— Милая, услужливая, всегда под рукой, очень удобно.

Но достаточно ли этих качеств девушки, чтобы Нюша и Ваня могли создать счастливый союз? Откровенно говоря, Инга полагала их отношения неравными. На стороне Вани была опытность и сила. Он занимал в Дубочках видное положение, числился начальником охраны, отчет о своих делах давал исключительно самому хозяину или хозяйке. Ну а на стороне Нюши одна лишь молодость и беззащитность. Будет ли ей хорошо жить с пожилым и очень властным мужем? Не лучше ли ей поискать себе сверстника и ровню? Все-таки Ване было уже за пятьдесят, Нюша рядом с ним смотрелась совсем девочкой.

Инга так углубилась в свои мысли, что даже не заметила, как гости начали подниматься из-за стола, благодарить хозяев и потихоньку разбредаться в разные стороны, чтобы в тишине и холодке без помех переварить угощение и подготовиться к поглощению следующей порции — домашней ветчины, запах от которой доносился из коптилки все отчетливей.

ГЛАВА 2

Но сразу после ужина у Инги не получилось поговорить со служанкой. Нюша была занята уборкой со стола, да и саму Ингу утащили за собой Вова с Севой. Получив отказ от строптивой Нюши, эти двое теперь надеялись взять реванш на другом поле. Однако, если они надеялись на успех у Инги, то и тут их поджидало горькое разочарование.

Вот уже два года, как Инга была официально помолвлена со следователем Залесным, которого, как ей казалось, она искренне любила. Но что еще более важно, за время их знакомства Инга вложила в своего жениха столько сил, и физических и душевных, что бросать его ради малознакомых и малоприятных ей Вовы с Севой она точно не собиралась.

Впрочем, это не помешало ей мило поболтать с вновь приобретенными кавалерами, посмеяться их глупым и плоским шуточкам (глупым у Севы, плоским у Вовы), а потом махнуть им обоим ручкой и убежать к Алене, которая уже давно призывно размахивала ей руками из окна дома, умоляя подойти к ней.

— О чем ты с этими балбесами так долго болтала? — сердито поинтересовалась Алена, когда Инга все же пришла к ней в дом.

— Да так... ни о чем, в общем-то. А почему ты называешь их балбесами?

— Потому что балбесы и есть! Полные придурки!

— Мне они такими не показались. Нормальные мужчины. Намешано в них, конечно, всякого, но в целом они не вредные.

— Ты же их не знаешь так, как знаю я!

В голосе подруги слышалось раздражение, и все же Инга рискнула спросить:

— А ты откуда их знаешь?

Алена вздохнула, но видя, что подруга ждет объяснений, сказала:

— Мария Петровна и Виктор Андреевич — наши соседи. Они снимают каждое лето коттедж в Буденовке.

— Где?

— Это деревня такая в двенадцати километрах от нас. То есть раньше это была просто заброшенная деревня, а теперь там от деревни осталось всего три дома, а все прочие снесли и на их месте построили элитный коттеджный поселок, в котором каждое лето отдыхают те, кому дорого или просто неохота содержать собственный загородный дом. Там можно снять дом на все лето, можно на месяц.

— Ну а ты со стариками как познакомилась?

— На экскурсию они к нам приехали, подружились, стали у нас часто бывать. Виктор Андреевич очень обаятельный дедушка. Все восхищался, как это у нас тут все замечательно обустроено. Ну ты же знаешь, он не кривил душой, Вася действительно ни сил, ни денег, ни времени не жалеет на благоустройства любимого гнездышка.

Инга в ответ только хмыкнула. Гнездышко-то у Василия Петровича включало в себя несколько сотен гектаров земли. Были тут и лесные угодья, и луга, и пашни, на которых колосилась пшеница, росли рожь и овощи. И даже прекрасно вызревали назло всем скептикам дыни и арбузы. А в оранжерее, обогреваемой в зимний период, отлично росли киви и ананасы с лимонами и другими цитрусовыми. Имелись в здешних искусственных тропиках даже свои собственные элитные сорта бананов, так что хозяева Дубочков и все обитатели лакомились великолепными и душистыми бананчиками самых лучших сортов, которые не появлялись на прилавках магазинов и которые в глаза не видели их сограждане.

— Если Вася видит чего стоящее, мигом к нам в Дубочки тащит, — продолжала между тем говорить Алена. — И с годами, конечно, накопилось. У нас и музей народных промыслов, и сами народные промыслы, и разливочная линия с травяными настойками. Чего только у нас нет! Одна только коллекция машин, которую Василий Петрович от скуки себе еще в городе собрал да сюда перегнал, чего стоит. К нам даже телевизионщики передачу приезжали снимать.

Хозяйство в Дубочках и впрямь было образцово-показательным. Спорить с этим не имело никакого смысла. О феномене Василия Петровича, умудрившегося превратить заброшенную землю в цветущий и, самое главное, процветающий рай, писали очень много и часто. Его активно приводили в пример в качестве образцово-показательного миллионера и даже миллиардера, который тем не менее не только сам живет, но и своим людям жить тоже дает.

И как иногда думала про себя Инга, если судить по количеству журналистов, желающих взять именно у Василия Петровича интервью на эту тему, чувствовалось, что особого наплыва других претендентов на роль интервьюируемого у них не имеется. Вот и приходилось Василию Петровичу отдуваться за других российских олигархов. И если вначале его это несколько напрягало, отвлекало от более важных, как ему на тот момент казалось, дел, то постепенно он вошел во вкус. И теперь, когда в Дубочках все было наконец обустроено, отлажено и шло своим чередом, требуя лишь незначительных усилий самого хозяина, Василий Петрович частенько и сам зазывал к себе в гости людей прессы, искусства или спорта, чтобы лично познакомиться, поговорить, развлечь, а самое главное — показать им свои владения.

И надо сказать, что роль гостеприимного хозяина ему вполне удавалась. Теперь в Дубочках жизнь кипела. Алена могла бы быть счастлива. Теперь к ним приезжал весь бомонд, весь гламур и весь шик светского общества, о котором она прежде так мечтала. И вот странное дело, когда ей никуда не надо было ехать и весь этот бомонд топтался у ее личных дверей, ей вдруг не стало ни до кого из них дела. И она даже с какой-то щемящей грустью вспоминала те тихие деньки, наполненные лишь совместными трудами, заботами и радостями. И не было между ними никого из этой снующей толпы, суетливой и жадной до новых впечатлений.

Но вслух Алена выразила все эти свои мятежные мысли лишь только одной короткой фразой:

— А мой Вася, он очень любит показывать свои владения.

— Я заметила, — хмыкнула Инга.

Она тоже стала жертвой этого экскурсионного энтузиазма Василия Петровича. И всякий раз, когда она приезжала в Дубочки, ее торжественно водили по всему поместью, показывая различные новинки и приобретения. Это было увлекательно, потому что за год у Василия Петровича и впрямь происходило множество улучшений. Тут и конный заводик, и детская спортивная школа при нем, где обучали верховой езде всех желающих и где мирно трудились кони-пенсионеры, которым необходима была небольшая физическая нагрузка, чтобы продлить дни их жизни и позволить им жить полноценно. И поэтому такие небольшие прогулки по окрестностям становились для лошадей и их малолетних всадников очень приятным развлечением.

Причем заниматься в школе могли все без исключения появляющиеся в Дубочках дети. Как приезжающие специально с этой целью из Буденовки малолетние жители элитного коттеджного поселка, которых родители привозили на дорогих пафосных тачках, так и дети простых работников и даже селян — всех без исключения. Ни с кого из них денег за обучение в школе верховой езды денег не брали. Вместо этого в обмен за полученное удовольствие дети должны были по мере сил помогать на конюшне, чистить денники, лошадей, выполнять различные поручения: красить, приколачивать, переносить и тому подобную работу, которой всегда много на конюшне. Но дети были счастливы, им эта обязанность казалась не платой за обучение, а самым высшим в жизни наслаждением.

Самых ловких и умелых, кто демонстрировал успехи в конном спорте, Василий Петрович отдавал на обучение уже к специалистам, занимавшихся тренировкой мальчишек и девчонок с целью выискать среди них своих собственных жокеев, в преданности которых невозможно было бы сомневаться. В планах

Василия Петровича было выведение новой отечественной породы лошадей. Он мечтал получить породу, способную утереть нос всем западным фаворитам. И для будущих чемпионов ему были нужны будущие великие жокеи.

Были в конной школе также и больные детишки со всей страны, которые приезжали с родителями в поисках спасения от недугов в иппотерапии. И надо сказать, что результаты были превосходными. Состояние почти всех детей после лечебных занятий заметно улучшалось. Родители были счастливы и на следующий год неизменно возвращались назад, утверждая, что время, проведенное в Дубочках, стало для них поистине незабываемым.

Эти гости жили в специально обустроенных коттеджах, рассчитанных на троих-шестерых человек. Затем было построено здание мини-гостиницы, там могли останавливаться люди самого скромного достатка. Ни один номер не стоил больше пятисот рублей в сутки. И сюда также входил сытный и обильный деревенский завтрак. Каша, творог, молоко и какие-нибудь фрукты, мед или варенье. И конечно, зачастую люди задерживались в Дубочках по многу дней и даже недель. В планах у Василия Петровича было также построить санаторий, где дети и взрослые могли бы проходить полный курс реабилитационных или восстанавливающих процедур, включая все самые современные.

Но это было еще в планах, которые грозили превратить Дубочки в нечто и вовсе грандиозное, место, где постоянно будут толпиться посторонние люди. И не просто работники, к которым привыкаешь, многих из которых знаешь по имени или хотя бы в лицо, но совершенно чужие люди, которые могли окончательно нарушить ту иллюзию оторванности от большой жизни, которую Алена, оказывается, так полюбила за эти годы.

— Вот так у нас и появился Виктор Андреевич, — со вздохом закончила Алена свое затянувшееся объяснение. — Прослышал про гостеприимство Василия Петровича, заехал к нам, чтобы лично познакомиться. Очень хвалил Васю. Сказал, что он первопроходец, что он слава и гордость Отечества, что на таких, как он, и стоит земля русская. Славный старикан, но есть у него одна фишка, на которую, если он сядет, то поедет вперед без остановки.

— И какая?

— Старик ненавидит коммунистов и советскую власть.

— Да ты что? Есть и такие люди?

— Представь себе. Ненавидит Ленина и его шайку лютой ненавистью, причем, что интересно, не за себя лично, его семья вроде бы ничего особо после революции не потеряла. Как были они научной интеллигенцией без благородного происхождения, так и остались ею. Новая власть нуждалась в обученных специалистах, своих-то научных кадров у них было с гулькин нос.

Большевики формировались из людей простых, крестьян и рабочих. А они при всей своей смекалистости и башковитости русских мужиков наукам обучены не были. И для их подготовки нужно было время, деньги и опять же специалисты. Учитывая, что после Гражданской войны в стране закрылись или практически закрылись многие учебные заведения, кадры набирали где могли. И отец Виктора Андреевича попал в их число.

— Значит, у него все сложилось счастливо? Никакие репрессии его не коснулись?

— Да, вполне. Я так понимаю, он скончался вполне дряхлым и всеми уважаемым старичком, у которого была масса учеников, любимая работа и кафедра, которой он заведовал много лет подряд. Ходил на свою любимую работу до последнего и умер на своем рабочем месте.

— Ты мне про самого Виктора Андреевича рассказываешь или про его отца?

— Да, у них похожие судьбы, ты тоже находишь?

— Просто один в один.

— Так вот, о чем я тебе говорила... Ах да! Несмотря на то, что семья Виктора Андреевича от революции не пострадала, он ненавидит коммунистов за то, что они разрушили вообще всю страну. Говорит, что они полностью уничтожили процветающую мировую державу, превратили истерзанную страну в полигон каких-то маразматических реформ и бессмысленных указаний, которые только ухудшали и без того ужасное положение.

— Жуть какая, — передернуло Ингу. — Он так и говорит?

— Примерно в этом духе.

— Но ведь были и успехи. Особенно после того, как мы выиграли войну у фашистов.

— Виктора Андреевича это не утешает. Он считает, что победа далась слишком дорогой ценой. И виноваты в этом... Угадай сама кто?

— Да уж чего тут угадывать, и так все ясно. Слушай, а может быть, он монархист в душе?

— Может, и монархист, но признает, что царская династия Романовых, как монархическая, способная вновь взять власть в свои руки, увы, прервалась.

— Почему? Есть же их потомки.

— Ни один из ныне существующих Романовых не может официально претендовать на трон. Большевики и тут постарались обезопасить себя. Они казнили всех, кто мог представлять для них хоть какую-то опасность.

— И что... Все это до сих пор не дает старику покоя?

— Да, — отозвалась Алена, которая выглядела все более и более рассеянной и в то же время раздраженной. — Но послушай, Инга... Я же тебя совсем не для того сюда позвала, чтобы болтать про Виктора Андреевича.

— А для чего?

— У меня есть к тебе дело.

И она так красиво хрустнула пальцами, как умела делать только она одна. Инге всегда казалось, что кости ее подруги стучат друг о друга, словно какие-то невероятные музыкальные инструменты. Очень точные, четкие и в то же время звонко-мелодичные. Обычно Алена хрустела пальцами, когда была чем-то сильно взволнована. Инга помнила об этом и поэтому спросила куда более встревоженным голосом:

— Так и в чем же проблема?

— У меня... мне кажется... нет, я даже почти уверена. Впрочем, наверное, ты скажешь, что я сошла с ума.

Подруга выглядела такой растерянной, что Инга окончательно убедилась: ее дурные предчувствия вполне реальны.

И уже предчувствуя, что добрых новостей она от подруги не услышит, Инга вновь поинтересовалась:

— Так что же ты хотела мне сказать?

Каково же было ее изумление, недоумение и даже страх, когда Алена наконец выпалила то, что тяготило ее все это время.

— Мне кажется, у нас в имении готовится преступление.

— Преступление? Какое преступление?

— Страшное! Может быть, даже убийство!

На какое-то время Инга онемела, а потом не удержалась и засмеялась. А закончив веселиться, она воскликнула:

— Аленка! Да ты просто сошла с ума! Ваши Дубочки — самое тихое и мирное место, какое мне доводилось видеть. У вас тут все люди прекрасно знают друг друга, ладят между собой. А небольшие ссоры, которые неизбежно случаются между людьми, Василий Петрович всегда разрешает и бывших врагов мирит. Про какое преступление ты говоришь?

Алена нервно сжала руки, отчего пальцы у нее вновь хрустнули.

— Вот! — воскликнула она. — Это именно та реакция, какой я и боялась! Понимаешь, мне никто не верит! Никто! Василий Петрович считает, что у меня разыгралось воображение. Ваня надо мной издевается. Никто из них не верит в то, что в наши Дубочки вошло зло. А я его чувствую!

Алена выглядела до того взволнованной, что Инга решила больше не потешаться над подругой. Вместо этого она мягко поинтересовалась у нее:

— И что ты чувствуешь?

— Все как-то меняется, — попыталась объяснить ей Алена. — Это незаметно на первый взгляд, и даже на второй, и на третий, но все как-то идет не туда. Вот ты приехала и наверняка ничего не заметила?

— Ничего.

— А между тем что-то происходит. Люди чуть меньше стали улыбаться. Пить стали больше. Драки стали случаться чаще. Какая-то тревога поселились и в доме, и в окрестностях. Причем если спросишь у людей, что с ними, то в ответ слышишь неизменное: «Все в порядке, Алена Игоревна».

— И давно это началось?

— Уже почти год. Как раз после твоего последнего приезда. Уже тогда все начиналось, только было еще не столь заметно, и я совсем не задумывалась об изменениях. Они казались слишком незначительными. Ну, подумаешь, там не улыбнулись, тут здравствуйте мне не сказали. Я ведь не барыня, себе в ножки кланяться никого не заставляю. Но повторяю: раньше люди держались приветливей с нами, а между собой жили дружнее.

— Думаешь, кто-то подзуживает местных против тебя и Василия Петровича?

— Да, мне так кажется, — кивнула Алена. — Именно против Василия Петровича и меня. Но я не понимаю, в чем тут дело. Никаких криминальных шагов эта личность не предпринимает. Ни поджогов, ни ограблений, ни саботажа. Все работают, как и прежде. Но что-то все равно постепенно меняется.

— Может быть, Василий Петрович зарплату работникам давно не поднимал? Вот они и дуются на вас? В мире ведь постоянно все дорожает.

— Да не дорожает, а дешевеет там! — раздраженно махнула рукой Алена. — Мир одноразовых вещей! И дело тут совсем не в зарплате, она у наших рабочих регулярно индексируется согласно заявленному росту инфляции в стране. И потом, каждый имеет возможность завести собственное хозяйство, что многие и делают. Нет, дело не в этом, своим положением работники довольны, я в этом уверена.

— Тогда что?

— Мне кажется, что про нас кто-то распускает какие-то нехорошие слухи.

— Что за слухи?

— В том-то и дело, что мне этого не удалось узнать.

— Ну хорошо, слухи — слухами, а откуда ты взяла, что у вас готовится убийство?

Алена замялась. Но потом все же призналась:

— Мне это приснилось.

— Да ты что? Разве можно верить в сны?

— Я в них верю. Тем более что все выглядело очень реалистично. Раннее утро, наша лужайка, а на лужайке лежит окровавленное тело. Брр! Такая жуть!

— И кого убили?

— Я не разглядела лица.

— Но хотя бы мужчина или женщина?

— Кажется, мужчина. Да, определенно, на нем были брюки!

— Брюки — это как раз не показатель. Брюки сейчас многие женщины тоже носят.

— И еще сапоги! Сапоги для верховой езды.

— И сапоги для верховой езды всегда стандартной формы, отличаются только размерами.

— Что же еще было? — забормотала Алена. — Что же там было такое, что я решила, что это был мужчина? А! Вспомнила! Плешь на затылке! У этого человека была внушительная плешь. У женщин такой плеши не бывает.

— Да, тут я с тобой согласна. Ну что же, можешь радоваться: ни Василий Петрович, ни Ваня не пострадают. У них обоих прически в порядке. У Василия Петровича сохранились отличные волосы. А Ваня вообще всегда лысый ходит.

— Он не лысый, — обиделась Алена за своего верного Ваню. — И вообще сразу видно, что ты его давно не видела.

— Ну, год.

— А он, между прочим, очень сильно изменился. Ты его теперь не узнаешь, когда увидишь.

— Да ты что? Заинтриговала, — призналась ей Инга. — Кстати, а почему Вани не было за ужином? Обычно он всегда присутствует.

— Дела у него, — быстро ответила ей Алена.

Впрочем, как показалось Инге, не вполне искренне.

— А в чем заключаются перемены, произошедшие с Ваней?

— Он стал одеваться иначе, более современно, свободно. Ты же помнишь его вечные темные костюмы и безупречной белизны рубашки?

— Да. Конечно.

Ваня всегда выглядел так, словно только что вернулся со съемок фильма о спецагентах.

— А теперь он носит джинсы и трикотажные обтягивающие торс майки. Стал надевать те часы, которые Василий Петрович привез ему в подарок. И машину приобрел себе не джип, как обычно покупал, а на сей раз выбрал почему-то «Мазду». Да еще в салоне ее взял, а не подержанную, как раньше.

Да, перемены в Ване действительно были значительными. Былой консерватизм уступил место новым веяниям.

— Вот я и говорю, без женщины тут дело не обошлось, — продолжила Алена. — Только женщина могла так сильно изменить Ваню. И так как единственная, кто тут у нас новенький появился, это Нюша, которую Ваня за свою племянницу выдает, именно ее я виноватой в произошедших в нем переменах и считаю.

Инга какое-то время помолчала, размышляя об услышанном. А потом рискнула предположить:

— Может, она и впрямь его племянница.

— Я просила у Василия Петровича навести справки об этой Нюше. Так он взял и передал наш разговор Ване. Теперь Ваня на меня обиду затаил. Хоть виду старается не подавать, а я все чувствую!

— А ты сама с ним не пыталась по душам поговорить?

— Нет. Если он хочет выдавать свою любовницу за племянницу, пусть так и будет. Неужели мы откажем нашему верному Ване в простом человеческом счастье? Тем более что девчонка уже совершеннолетняя.

— Ей уже есть восемнадцать?

Инга была изумлена. Нюша выглядела совсем молоденькой. Но еще больше она изумилась, услышав слова Алены:

— Ей девятнадцать исполняется на днях. Один год она в институт не поступила, родители у нее умерли, так она сюда к нам приехала. То есть не к нам, а к Ване. Поселилась, ничего не скажу, дом привела в порядок. И к экзаменам повторным готовилась усердно. Ну, ты слышала, Вася ей курсы оплатил. Но она и сама много занималась и в итоге поступила.

— Молодец, — сдержанно похвалила ее Инга.

Но Алена ее чувств не поняла и продолжала дальше нахваливать свою любимицу Нюшу:

— Да и вообще она без дела не сидела. По дому мне сразу же стала помогать. С самого первого дня, как поселилась у Вани, с утра к нам в усадьбу пришла: «Что мне поделать?» — спрашивает. Вася ее сразу же определил ко мне в горничные.

— И ты довольна ею?

— Конечно! Всегда приветливая, услужливая. Могу сказать тебе честно: лучшей горничной у меня никогда еще не было. Деревенские девчонки, они, конечно, стараются, но лоска и воспитанности им все же не хватает. Неотесанные они, хоть ты плачь. Никаких сил с ними нету. А Нюша сразу видно, что городская, и потому всякие тонкости, какие деревенским девчонкам не очень-то доступны, она с лету понимает.

— Ну все! Хватит эту девчонку нахваливать, — фыркнула Инга, которой эта хвалебная песнь в адрес соперницы совсем уж не понравилась.

Мало того что эта пронырливая Нюша ухватила у Инги поклонника, которого та хоть и не поощряла, но и не прогоняла от себя, так ей этого показалось недостаточно. Девица теперь и сердце любимой подруги к себе подтягивает. И если сердце Вани было для Инги вещью второстепенной значимости, то потерять Алену она никак не могла себе позволить.

Но, к счастью, толком расстроиться Инга не успела, потому что Алена сама все быстро исправила, сказав:

— Поэтому я и думаю, что, раз изменения начали происходить одновременно с появлением Нюши, значит, и виновата в них тоже она.

— Виновата?!

Инга радостно встрепенулась. Намечалась прекрасная перспектива избавиться от девчонки. Но Алена опять же все испортила:

— Не сознательно, конечно. Но возможно, бедной девочкой кто-то манипулирует.

«Как же», — проворчала Инга про себя, а вслух спросила:

— А кто?

— Вот это, я надеюсь, ты и поможешь мне выяснить.

— Я?

Инга прикинула про себя: если она станет помогать Алене против Нюши, это может вновь сблизить их. И она тут же кивнула:

— Я помогу тебе, конечно.

— Не сомневалась в твоем ответе, — заключила Алена подругу в свои объятия, — но все равно спасибо!

— Ну что ты, — смутилась Инга. — Сколько между нами всего было, ты стала мне как родная.

— И ты мне. Я тебя так люблю! Как сестру!

Алена вновь обняла Ингу, но та уже потеряла интерес к объятиями и деловито заявила:

— Но оставим сантименты. Что нам известно конкретно?

С конкретными данными у Алены было плоховато. По большей части все ее подозрения основывались на эмоциях. Но пытаясь объяснить мужчинам то, что она чувствует, Алена натыкалась на сплошную полосу непонимания. Но то мужчины, а Инга была женщина. И к тому же подруга. Поэтому она охотно выслушала рассказ Алены обо всех тех странностях, которые произошли с ней за последнее время и которые вынудили ее в конце концов прийти к печальному выводу о готовящемся у них в Дубочках злодеянии.

— В общем, слушай, я расскажу тебе только про свой вчерашний день. А он у меня словно специально выдался такой, что все мои страхи вновь проснулись с утроенной силой. И началось с того, что самым первым делом я пришла утром на конюшню. Ну чтобы просто поздороваться с лошадьми и особенно с Забиякой. Он, знаешь ли, постоянно требует к себе повышенного внимания.

Забиякой звали породистого жеребца, который стал героем одной из предыдущих историй о похождениях двух подруг. Поэтому сейчас Инга радостно воскликнула, осведомляясь о судьбе старого знакомца:

— Забияка! Как же я могла про него забыть! И как он поживает?

— По-моему, просто прекрасно. У него целый гарем из кобыл, от которых у нас уже имеется пара жеребят. И скажу я тебе: характер у этих малышей еще тот, похоже, они унаследовали от своего папаши всю его задиристость, не взяв от своих кротких мамаш ровным счетом ничего, кроме их резвости.

— Значит, Василий Петрович может быть доволен? Он ведь хотел снабдить лошадей своей будущей дубовской породы некоторыми, так сказать, бойцовскими качествами.

— Вася-то, конечно, доволен, — рассеянно отозвалась Алена. — Но дело не в этом. Я-то хотела рассказать тебе совсем о другом.

— Говори.

— Так вот, пришла я на конюшню, иду, гляжу лошадей, здороваюсь с ними потихоньку. И вдруг слышу разговор между Сережей, нашим старшим конюхом, и мальчишками. Сначала я думала, что он их распекает за то, что они что-то не то сделали с лошадьми, не так почистили, не тем покормили. Мало ли какие ошибки могут допустить ребята. Это все непринципиально, но Сережа очень серьезно относится к своей работе. Любой пустяк выводит его из себя. Но оказалось, что дело совсем в другом. Он ругал мальчишек за непочтительные высказывания в адрес хозяев.

— То есть тебя и Василия Петровича? — поразилась Инга. — И что же они сказали в ваш адрес?

— В принципе ничего особенного... что-то вроде «толстый старый бурдюк» и «куда в него столько лезет». И еще они рассуждали о том, кто и какую лошадь забрал бы себе, будь у них такая возможность.

— Даже так? В ваших Дубочках зреет революционное движение масс?

— Поверить в такое не могу, тем более что некоторые из ребят, которых распекал конюх, были из Буденовки. А там такие цены, что бедные или скромного достатка люди просто там не останавливаются.

— Странно. Ну а ты не пробовала сама поговорить с мальчиками? Откуда у них взялись такие мысли?

— Да нет, как-то не догадалась.

И Алена отвела глаза в сторону. Однако Инга знала ее не первый год, поэтому она тут же строго приказала подруге:

— А ну-ка! Говори мне всю правду!

— Ну... они ведь и про меня кое-что говорили. Обзывали меня дылдой.

— Но это же совсем безобидное прозвище. Ты и впрямь смотришься верзилой рядом со своим мужем.

— Почему-то когда ты это говоришь, то звучит совсем не обидно. А когда я это от них услышала, то мне не захотелось подходить к этим паршивцам. Ведь Вася столько для них делает, эти занятия, уроки... да всего просто не перечислишь, а они еще и недовольны! Прозвища нам придумывают! «Бурдюк»! «Дылда»! Я не стала разговаривать, даже не показалась, а просто ушла.

Однако Инга находила, что пока все довольно безобидно. Не стоит обращать внимания на такую ерунду. И Алена принялась рассказывать дальше:

— Потом я пошла проверить, как идет строительство консервной фабрики.

Консервная фабрика была очередным нововведением, которое задумал Василий Петрович у себя в Дубочках.

Количество фруктов, овощей и ягод, которое ежегодно снимали на полях, в садах и выращивали в оранжереях в хозяйстве Василия Петровича, перешло все мыслимые пределы. Съедать все самим обитателям Дубочков было уже не под силу. Раздавать соседям избыток урожая тоже было как-то не ладно, растили они сами, а кушать будут другие, непорядок это. И поэтому вплотную встал вопрос о том, чтобы построить хотя бы небольшую фабрику по переработке фруктов и овощей во вкусные и полезные десерты, желе, варенье, джемы и тому подобное.

— Да и грибов-ягод люди в сезон из леса в огромных количествах тащат. Умудряются, конечно, до весны все съедать, на следующий год только у самых уж куркулей в подполе банки с грибочками остаются, остальные в пост все подчистую выгребают. Но если бы у людей была возможность сдавать эти лесные дары за живые деньги к нам на фабрику, то они бы еще больше, я уверена, собирали каждый год.

— Справедливо.

— Ну вот, пошла я туда, но уже издалека слышу, что работа на стройке стоит.

Время было самое рабочее, и тишина на стройке неприятно удивила Алену. Она даже подумала, что там случился какой-то форс-мажор, подошла поближе и тут только поняла, что у рабочих всего лишь обычный перекур. Пригревшись на солнышке, мужчины вели между собою неспешный разговор. Алена подошла еще ближе, и до нее донесся запах табачного дыма, а следом за ним такая реплика:

— Зря вы так, меня много где по свету потаскало, и я вам скажу, хозяин у вас — мировой мужик.

Ему никто не возразил. И сколько Алена ни прислушивалась, ответной реплики она не услышала. А вскоре после этого вновь раздался звук заработавшего инструмента, работа продолжала идти своим ходом. И казалось бы, Алена услышала опять же только хорошее, за ее Василия Петровича заступились. Но женщину настораживало то обстоятельство, что необходимость такого заступничества вообще возникла.

— Выходит, те мужики, которых я не услышала, напротив, ругали моего Васю. А за что? Что такого он им сделал?

Разочаровавшись, Алена отправилась в музей народных промыслов, который числился у нее в непосредственном подчинении. У них там приехало несколько экскурсионных групп, так что Алена до конца своей смены не могла отвлекаться на посторонние темы. Но когда все туристы довольные, накупившие сувениров и отобедавшие на дорожку в маленьком кафе, где в меню были исключительно блюда исконно русской кухни, включая пироги и кулебяки, отбыли восвояси, Алена вновь была вынуждена вспомнить об утренних неприятностях.

И не потому, что она была такая злопамятная, просто ей об этом вновь напомнил разговор двух работниц кафе, которое располагалось при музее. Обычно к концу рабочего дня там всегда оставалась какая-то снедь, которую все работники музея дружно подъедали перед уходом или разбирали по домам. На следующий день на кухне ничего не оставляли, потому что Алена считала, что если уж берешь с приезжих людей деньги за еду, то кормить их нужно только самым свежим и отборным. И сейчас она пришла в кафе за своей порцией и невольно застыла на месте, услышав через окно:

— Не трогай! С ума сошла! Сейчас сама придет, остатки подсчитывать будет! Не ровен час, недосчитается куска, выгонит тебя взашей.

— Алена Игоревна не такая.

— Ага, как же! Не такая она! Забыла, как она со Светкой поступила? Выгнала и еще статью грозилась на нее повесить.

— Так разве Светку за это уволили? Она же деньги себе присваивала.

— За это или не за это, а хозяйка, когда не в духе, разбираться не станет. Спрячь, говорю тебе, если спросит, то предъявишь. А если нет, тогда уж домой заберешь.

Спор зашел о куске отварной говядины, которую использовали для приготовления окрошки. Никакой докторской или любой другой колбасы в окрошку тут не клали, а только отварное нежирное мясо. Видимо, сегодня осталось с полкилограмма. И ничтожность вопроса поразила Алену до глубины души. Но еще больше ее поразили те слухи, которые ходили о ней среди работников.

— Неужели они думают, что я способна уволить человека из-за такой ерунды, как кусок вареного мяса? Да я сама всегда говорю сотрудникам, чтобы они разбирали все остатки. Не могу видеть, как пропадает еда. А у них у всех семьи. Вечером домой придут, оставшийся фарш принесут, шмяк на сковородку, через десять минут уже котлетки готовы. Или пироги... их ведь на второй день не съешь, вкус уже не тот. Я всем и всегда твержу: забирайте все, что можете. Сами не съедите — соседям раздайте.

— А Светка, о которой шла речь, кто она такая?

— Была у меня одна сотрудница. На кассе сидела. Но нечиста на руку оказалась тетка. Выручку себе присваивала. Думала, что я не считаю, сколько приехало в музей людей. Я и правда обычно не считаю. Но в тот раз группы были централизованные, все из одного места. И я точно знала, что приехать должно было сто двадцать человек. Весь день меня в музее не было, я только вечером пришла. И эта Светка мне деньги протягивает и лепечет: «Извините, Алена Игоревна, только двадцать человек всего и было сегодня».

— И ты ей поверила?

— Самое удивительное, что сначала поверила. Встревожилась: как так, думаю? Должно было быть сто двадцать, а доехало только двадцать? Где же остальные? Не случилось ли с ними чего-нибудь по дороге?

Разволновавшись, Алена побежала звонить куратору. И каково же было ее изумление и даже гнев, когда она выяснила, что все группы явились в полном составе. И было даже не сто двадцать, а сто двадцать четыре человека за счет присоединившихся родственников и знакомых.

— Разумеется, я тут же вспомнила, как значительно сократилась у нас в музее выручка за последнее время. А ведь лето — самый туристический сезон. Людей должно быть много, а у нас пусто. Как меня нету на рабочем месте, так пусто. Как я на посту, так в музее полный аншлаг.

Возмущенная до глубины души, Алена пулей понеслась к Светлане, обвинила ее при всех в воровстве и, трясясь от ярости, велела той убираться. Светка начала возмущаться, за нее заступились другие женщины. И неизвестно, чем бы все это закончилось, возможно, работницы бы перекричали свою хозяйку, но тут на помощь Алене пришла баба

Ваня. Она трудилась в кафе поварихой, и родители дали ей при рождении звучное имя — Ивонна. Деревенским такое имя казалось вычурным, они переделали его на свой лад. Вот и стала Ивонна — Ваней.

Появившись на шум из своих владений, баба Ваня грозно нахмурилась и рявкнула на галдящих работниц:

— Молчите, девки! Все правильно Алена Игоревна делает. Давно пора Светку взашей от нас гнать.

Женщины что-то попытались возразить, но тогда баба Ваня рявкнула еще громче:

— А по-хорошему, так вас всех гнать в три шеи отсюда надо! Алена Игоревна вам работу дала, одевает, кормит и поит и вас, и ваши семьи. Или забыли, как мы все тут жили, пока Василий Петрович свои Дубочки обустраивать не захотел? Мужики у вас пили, дети голодные ходили. А сами вы из нужды не знали, как и вылезти. А теперь вы, неблагодарные, былое забыв, на хозяйское позарились? Молчите и радуйтесь, что нас всех Алена Игоревна прощает за то, что мы Светку-мошенницу покрывали!

После этого работницы поспешно разошлись, не промолвив больше ни слова в защиту проворовавшейся Светки. Но Алене после их ухода стало еще тяжелей. Только сейчас, после слов мудрой бабы Вани, до нее дошло, что Светка воровала не одна и что она действовала с попустительства всего коллектива.

— Понимаешь, они все были в сговоре! Все покрывали Светку, которая воровала за моей спиной.

— А как они сами объяснили свое поведение?

— Сказали, что Светка им на жалость надавила. Мол, взяла кредит себе на операцию, отдавать не с чего, зарплаты не хватает. Вот и приходится прихватывать где и что возможно. Мол, мы с Василием Петровичем не обеднеем от такой малости, а ей все прибыток.

— Воровство никого еще до добра не доводило, — осуждающе покачала головой Инга. — Ворованные деньги также пользы в хозяйстве не принесут.

— И самое главное, что, прослышав про этот кредит, я еще к Светке сама же и побежала. Хотела прощения у нее попросить. Хорошо, что меня по дороге ее соседи перехватили. От них я и узнала, что здоровье у Светки в порядке, зато ее муж себе новую иномарку взял. За нее и кредит, видимо, выплачивает.

— Или не кредит, а Светка успела столько наворовать у тебя, что ее муж без всякого кредита машину взял.

— Может, и так, — вздохнула Алена. — Я уж дальше не стала разбираться, противно мне все это стало.

К Светке хозяйка так и не дошла, вместо этого вернулась домой и пожаловалась Василию Петровичу. Но супруг отнесся к проступку Светланы снисходительно:

— Что с них возьмешь? Конечно, видят много, и тянет руку запустить в чужую мошну. Я вот думаю, надо бы нам батюшку пригласить.

— Кого? Какого батюшку?

Родители Василия Петровича давно умерли, и Алена сначала не поняла, о ком ведет речь ее супруг. Но Василий Петрович пояснил жене:

— Священника надо позвать к нам в Дубочки.

— Зачем? — искренне поразилась замыслу супруга Алена. — Зачем нам священник?

— Не только священник, но и церковь бы построить нам с тобой не мешало. А то деньги в этих местах появились, а вместе с ними и искушения всякие. Раньше ничего и ни у кого не было, грешить особо тоже не приходилось. А теперь дело другое, теперь нам собственный батюшка нужен. Я об этом уже давно думаю и вот точно понял, что мешкать больше нечего.

Алена, разинув рот, слушала мужа. Она и не предполагала, что у него в голове бродят такие мысли. Но они показались ей слишком отвлеченными, и она вновь спросила:

— Ну а со Светкой-то как быть?

— Что уволила ее, правильно сделала. Наверное, и остальных уволить бы тоже нужно.

— Баба Ваня сказала, что Светка деньги только одна брала. Ни с кем не делилась. Бабы ее из жалости прикрывали. Им Светка наплела, что муж ей изменяет, в городе себе молодую и красивую нашел. У той, мол, сиськи четвертого размера. Вот Светка себе деньги на операцию копит, чтобы и себе тоже такие сделать, и мужа при себе удержать.

— Все равно, уволила бы всех, чтобы знали, как чужие грешки прикрывать.

Но Алена никого из сотрудников музея больше увольнять не стала, а вчера поняла, что, оказывается, зря она была такой доброй. Работницы не простили ей Светкиного увольнения. Начали распускать про хозяйку слухи. И слухи про Аленину жестокость расползались очень нехорошие. А новеньких, так тех уже и просто пугали именем хозяйки, словно она была страшным зверем, а не матерью родной, как работницы прежде пели ей в один голос.

ГЛАВА 3

И, закончив свой рассказ, Алена взглянула на подругу.

— Вот такие разговоры я слышала трижды за один только вчерашний день. Понимаешь, как это все гадко?

— Да, ситуация разворачивается неприятная, — согласилась Инга. — Но из всего того, что ты мне рассказала, я не вижу никаких предпосылок для какого-то особого злодейства.

— Не видишь?

— Нет. По-моему, имеет место обычное банальное недовольство бедных богатыми и исторически заложенное недопонимание между низами и верхами. Низы полагают, что верхам все далось само собой. А верхи считают, что низы слишком инертны и ленивы, чтобы подняться наверх. Те и другие по-своему правы. Но твой Василий Петрович сделал для здешних жителей очень много. Я помню эти черные полугнилые дома, в которых деревенские перебивались с хлеба на воду.

Работы не было, денег у людей соответственно тоже не было. Даже электричества не имелось, потому что им его отключили за неуплату! А теперь в каждом дворе сытая скотина мычит, куда ни зайдешь — всюду плазмы на стенах и ковры на полах. Дети довольные и румяные по поселку бегают. И после всего этого жители еще и недовольны! Права твоя баба Ваня: неблагодарные они, и все тут!

Мне кажется, ты должна простить и забыть, — посоветовала подруге Инга.

— А разговоры?

— Да пусть говорят что хотят! Собаки лают, а караван идет. Вот и пусть ваш с Василием Петровичем караван идет себе дальше. Уверена: в душе люди понимают, что благодаря твоему мужу их жизнь переменилась не в худшую, а в лучшую сторону.

Но Алена не согласилась с Ингой:

— А мне все равно кажется: мутит людей кто-то. Только очень уж хитро поступает. Никаких прямых улик, сколько я ни старалась, мне собрать так и не удалось.

— Да, без улик плохо, — согласилась с подругой Инга. — Но, может быть, в последнее время случилось еще что-то? Ну что-то, кроме разговоров?

— Вообще-то случилось.

— Отлично! И что же?

— Правда, я не совсем уверена, что это происшествие связано с тем, о чем мы только что тут говорили.

— Все равно расскажи.

— Ну, в общем...

Алена колебалась достаточно долго, терпение Инги почти истощилось. Но потом подруга все же произнесла:

— Ну, в общем, не далее как сегодня утром я чудом избежала смерти.

— Погоди... как ты сказала? Сегодня?!

Сначала Инга решила, что ослышалась. Или это у подруги такое чувство юмора сделалось странное. Но потом поняла, что Алена не шутит.

— Почему же ты мне сразу об этом не сказала?

— Хотела дать тебе с дороги отдохнуть.

— И как это произошло? И где?

— Ты знаешь нашу рощицу за домом?

— Ту, где ты весной любишь слушать соловьев?

— Соловьи — это в мае, а сейчас август, — вздохнула Алена. — Но ты права, об этой рощице я и говорю.

Дубочки изначально планировались таким образом, чтобы все хозяйственные, жилые, складские или производственные строения находились среди изобилия природы. Василий Петрович считал, что если уж живешь на лоне природы, то нужно эту самую природу ощущать вокруг себя в полной мере. Поэтому его поместье занимало очень внушительную территорию, несмотря на то что запросто могло бы уместиться на одной трети занимаемой площади.

Таким образом, все обитатели Дубочков постоянно находились в отличной физической форме благодаря тому, что иной раз за день им приходилось проходить по десять километров. И все это находясь на свежем воздухе, в окружении чистой, практически первозданной природы.

— Конечно, Василий Петрович всю эту природу в Дубочках, да и в окрестностях их давно благоустроил, почистил, помыл и преобразил. Но впечатление все равно такое, словно бы деревья сами выросли там, где было хозяином задумано.

Всюду в поместье были мощенные натуральным камнем дороги, способные простоять в неизменном виде не одну сотню лет. Подлесок был старательно убран, что придавало лесам прозрачность и жизнерадостность. Трава под деревьями старательно выкошена. И рощица, о которой говорила Алена, больше напоминала образцовый европейский парк, тем более что там имелись скамейки, цветники, статуи и прочие приятные глазу мелочи, которые Алена лично выбирала и устраивала в своем любимом парке.

Благодаря ее стараниям рощица стала выглядеть просто изумительно, впору приглашать туристов и туда. Особенно красиво там было ранней весной. Отовсюду, зачастую еще из-под снега, показывали свои головки самые ранние первоцветы — крокусы и подснежники. За ними следовали нарциссы, а потом наступал черед торжества тюльпанов, которые росли среди уже зазеленевшей травы целыми полянами, занимая фактически все освещенное солнцем пространство под деревьями.

Весной там был настоящий рай, но и в другое время года в рощице всегда находился уголок, которым можно было полюбоваться. Сначала цвели ирисы и пионы, потом приходил черед другим многолетникам. Казалось бы, что могло угрожать Алене в этом тихом уединенном месте, расположенном к тому же в самом центре Дубочков? И однако же именно там Алена подверглась нападению.

— Так кто на тебя напал? Человек?

— Это было какое-то животное. Сначала мне показалось, что это медведь, но потом я поняла, что для медведя это животное слишком быстро двигается.

— Это ты зря. Медведи, когда захотят, способны развивать очень приличную скорость. Во всяком случае, догнать и повалить человека им ничего не стоит.

Алена кивнула, признавая правоту подруги. Она и сама отлично помнила охотничьи байки, в которых медведь неизменно выступал в роли страшного, смертельно опасного для человека хищника.

— Наверное, я не так выразилась, — поправилась она. — Не быстро, а слишком грациозно для медведя. Оно бежало... Ну как... я даже не могу подобрать подходящего сравнения. Но оно двигалось на двух ногах.

— А что это было за животное?

— В том-то и дело, что я не знаю!

— Как не знаешь? — окончательно оторопела Инга, которая еще с начала их разговора начала подумывать о том, что подруге не мешало бы обратиться к профессиональному психиатру.

Мания преследования, теперь еще и видения начались.

— Как ты не можешь назвать этого зверя? Ты же обожаешь передачи про животных! И с Василием Петровичем вы, по-моему, весь мир объездили. На кого он у тебя только не охотился. И на ягуаров, и на крокодилов, и даже на бабуина!

— Но, говорю тебе, это животное не было похоже ни на одно другое в мире! Я даже не знаю, как тебе его охарактеризовать. Огромная темная масса. Уродливая, горбатая и косматая.

— Жуть!

— Да, темная косматая шерсть. Пожалуй, он был немного похож на огромную обезьяну. А еще больше смахивал на то чудовище из старого советского мультика про Аленький цветочек.

— Может быть, ты себе его только вообразила? Ну, ветки там как-то не так качнулись, тень упала...

— Какая тень! Говорю тебе, он был там во плоти!

Алена выкрикнула эту фразу и замолчала. Инга тоже молчала. Поверить в то, что в самом сердце Дубочков водится никем не замеченное, да еще и не известное науке животное, она никак не могла. Но вслух сказать об этом Алене она тоже не могла. Впрочем, Алена все поняла и сама.

— Вижу, ты мне не веришь, — горько произнесла она. — Мне кажется, мне никто не верит. Вася сегодня весь день кидал на меня опасливые взгляды. На Ваню я накричала. Господи, что со мной? Неужели я и впрямь схожу с ума?

Подруга и правда выглядела не ахти. Нет, конечно, она была хороша, но в глазах ее поселилось какое-то странное выражение. Тревога, вот что терзало ее теперь постоянно.

Инга попыталась успокоить Алену:

— Погоди ты дергаться! Никто не говорит про твое сумасшествие. Мы обязательно вместе разберемся, что там могло быть. Но пока... в качестве предположения, может быть... может быть, тебе это приснилось?

— Как это приснилось? Я гуляла, а он выскочил прямо на меня из-за дерева. Как я испугалась, тебе просто этого не передать!

— Да, я думаю, что испугалась... И что было дальше?

— Я тут же закричала.

— Что именно?

— Не помню. Кажется, просто закричала: «А-а-а!...» — и побежала.

— А оно?

— Оно побежало за мной. Большое, лохматое... я прямо кожей чувствовала, что оно меня настигает. Неслась не разбирая дороги. По цветникам, по траве, через кусты прыгала.

— И как же тебе удалось спастись?

— Поверишь, сама не понимаю. Просто я бежала, бежала, кричала, а потом внезапно обнаружила, что вокруг меня уже не деревья, а дома. И сама я бегу прямо навстречу каким-то людям. Наверное, они подумали, что я рехнулась, когда я пронеслась мимо них к дому. Судя по их лицам, они именно так и решили!

— Не переживай, все знают, что ты совершенно нормальна.

Но против воли голос Инги дрогнул. Она сознавала, насколько диким должно было показаться со стороны такое поведение хозяйки, когда, вопя во весь голос и рискуя сломать себе шею, она неслась по дороге к своему дому.

Однако сейчас более важным было выяснить у Алены другое.

— Ну а животное? Его эти люди видели?

— Нет, никто и ничего не видел. Только меня, несущуюся по дороге и орущую во все горло. А животное... оно осталось где-то там, в рощице.

— Но ты рассказала про него Василию Петровичу?

— Разумеется, я сказала и Васе, и Ване. Я была возмущена до предела. Кто у нас отвечает в усадьбе за безопасность? Ваня! А он допустил, чтобы по усадьбе возле самого дома шатались какие-то огромные мохнатые твари!

И помолчав, Алена призналась:

— Боюсь, что сгоряча я наговорила Ване лишнего. Он, конечно, вида не подал, но думаю, что в душе обиделся.

Так вот в чем причина отсутствия Вани во время ужина. А Инга все ломала голову, почему рядом с Василием Петровичем не маячит фигура телохранителя. Впрочем, в Дубочках Ваня позволял себе короткие передышки от несения службы. Он искренне полагал, что поставил систему безопасности в поселке на достаточно высокий уровень, чтобы сюда не могли проникнуть незваные гости или какие-либо недоброжелатели, способные причинить хотя бы минимальный вред его обожаемым хозяевам.

И еще это была первая на памяти Инги ссора Алены с телохранителем своего мужа.

— Ты всегда любила покритиковать работу Вани, он на тебя никогда не обижался.

— Но тут я перегнула палку. Я так испугалась!

— И что вы сделали потом?

— Мы с мужиками вернулись назад. Осмотрели там все самым внимательным образом. И знаешь, что нашли?

— Что?

— Ничего!

— В смысле?

— Никаких следов!

Теперь наступил черед поражаться уже Инге.

— Как же так? Животное таких размеров должно было оставлять огромные следы.

— Но там были только следы людей. Оказывается, никакого животного там не появлялось! Впору подумать, что я и впрямь схожу с ума!

— А вы все хорошо осмотрели?

— Мы стояли там, откуда я дала деру. На том самом месте. И там, и потом на мягком грунте клумб, по которым я мчалась, отпечатались только мои следы, а следов преследовавшего меня животного не было видно.

Должно быть, вид у Инги был такой, что Алена воскликнула:

— Ты мне не веришь!

— Нет, нет, Аленочка, я тебе верю, — поспешно возразила Инга. — Только я подумала: а вдруг это был переодетый человек?

— Человек?

— Да, не животное, а человек в костюме. Тогда и следов зверя никак нельзя было обнаружить.

— О том, что это мог быть переодетый человек, я даже как-то и не задумалась, — призналась Алена.

— Ну ты сама рассуди. Если бы такое крупное чудовище появилось в окрестностях Дубочков, его бы обязательно заметили. Местность тут стараниями твоего мужа теперь довольно оживленная. Тварь бы увидели, отловили, и никакая опасность тебе бы не угрожала.

— Действительно, это должен был быть человек. И он погнался за мной.

— Или же он только сделал вид, что кинулся за тобой.

— Нет, нет, он точно побежал. Я хорошо помню, что он бросился за мной еще до того, как я пустилась наутек. Собственно, я потеряла несколько драгоценных секунд. И знаешь, теперь я понимаю, он бежал как-то неправильно. Ноги его двигались быстро, а вот руки мотались из стороны в сторону, словно пришитые. Действительно, это мог быть всего лишь костюм!

— Ну, может быть, десяток-другой шагов он за тобой и пробежал, — неохотно согласилась Инга, которой вообще не нравился сам факт такой вот пробежки. — Но как только ты ступила на мягкий грунт клумб, он прекратил свое преследование.

— Может, и не прекратил, — задумчиво произнесла Алена. — Ведь мы с Ваней и мужем искали только следы зверя. На человеческие тот же Ваня мог внимания и не обратить.

— Надо бы там еще раз все осмотреть.

— Там?

— Да.

— В лесу?

— В рощице.

— Брр! — передернуло Алену. — Нет, я туда не сунусь. Только не ночью!

Ночью идти в лес Инге тоже не хотелось. Так что это мероприятие подруги решили отложить до более подходящего момента, например до рассвета. А пока что они лишь продолжили обсуждение случившегося:

— Он ведь стоял под деревьями?

— Да.

— Ну а там всюду густой дерн. На нем следов быть не может. Следы могли остаться лишь на мягкой земле цветников, но туда чудище за тобой уже не побежало. Злодей ограничился тем, что напугал тебя до смерти и прогнал из рощи.

— Инга, у меня прямо камень с души свалился! Ты так хорошо мне все это объяснила! — обрадовалась Алена. — Как будто бы видела все это со стороны.

— Я представила, как это могло быть, и придумала такую версию.

— А мужикам моим только бы меня критиковать. «Собаку вы видели», — передразнила Алена голосом Вани. — Если честно говорить, то влюбленность на Ваню повлияла не лучшим образом! Он совсем поглупел. А ты такая молодец! Сразу все просекла.

— Ну хватит меня хвалить. Я еще ничего толком и придумать не успела, — смутилась Инга.

Еще больше ее смутило открытое упоминание о влюбленности Вани. Слышать о том, что ее поклонник, пусть даже и тот, который ей был совсем не нужен, вдруг взял и переметнулся к другой дамочке, было неприятно. Но Алена, как водится, в пылу собственных эмоций не замечала более сдержанных проявлений чувств самой Инги.

— Нет, ты вот приехала, мне сразу же лучше стало, — тормошила Алена в своих объятиях Ингу. — Спасибо тебе огромное. Ты всегда вселяешь в меня бодрость.

— А ты — в меня! — с чувством воскликнула Инга. — И я тебя ни за что не оставлю без поддержки. Теперь нас двое, мы заставим мужчин отнестись к твоим словам со всей серьезностью.

И взявшись за руки, подруги отправились обратно к гостям.

К сожалению, подруги, заключив между собой этот союз, даже не подозревали, каким тяжким испытаниям вскоре подвергнется их дружба. Да и не только дружба, но и сами их жизни. А также жизни многих из тех, с кем они были связаны. Тех, кто их любил и кого любили они сами.

Виктору Андреевичу с супругой предстояло вскоре отправиться к себе в Буденовку, навестить каких-то своих тамошних старых знакомых, к которым они должны были сегодня еще зайти. Впрочем, старики обещали вернуться уже на следующий день, когда в Дубочках ожидался праздничный ужин по случаю дня рождения Нюши.

Любя и ценя своего верного телохранителя, Василий Петрович также очень тепло отнесся к появлению у них в поселке Нюши. И узнав про день рождения девушки, тут же пообещал помочь с его организацией. А так как Василий Петрович был человеком широкой души, то его обещание могло означать только одно: еды будут горы, музыки и танцев — море, а гостей — целые толпы.

И вот это последнее отчего-то крайне смущало Алену. В последнее время с ней вообще творилось непонятное. Она сама себя не узнавала. Ни с того ни с сего она вдруг полюбила одиночество. Шум и громкая музыка стали ее раздражать. Большое скопление народу вызывало головокружение и незнакомое Алене прежде и очень неприятное чувство загнанности. А все это было совсем не характерно для нее. И Алена, не понимая, что с ней творится, обратилась за помощью к врачам.

— Все симптомы указывают на гормональный сбой, но гормоны у вас, душенька, в полном порядке.

Так сказал Алене врач, и ей пришлось согласиться с очевидными фактами. Все анализы оказались в пределах нормы.

— Может быть, это шалит какой-нибудь еще не открытый наукой гормон? — рискнула предположить Алена.

Но врач отправил ее домой, велев не забивать голову ерундой, в которой она ничего не смыслит, и снабдив рецептом мягкого успокоительного средства. Алена выпила его целую упаковку, причем выпила всего за два дня то, что полагалось ей пить целую неделю. Но патентованное средство не произвело на нее сколь-нибудь заметного действия. Ситуация не улучшалась, а становилась все хуже.

Тогда Василий Петрович, давно уже с тревогой наблюдавший за поведением жены и отмечавший, какой она стала дерганной и нервной, принес ей успокоительный бальзам на травах по рецептам старушек, работавших у него в качестве химиков-технологов и ученых-экспериментаторов. Старушки, свезенные в Дубочки со всех окрестностей, с увлечением занимались своим любимым делом. Но только теперь они работали не сами по себе, а получали твердую заработную плату и изобретали снадобья с привлечением всех современных технологий. Делали вытяжки, экстракты, сыворотки, давили масла и варили настойки.

Новое средство помогло Алене значительно лучше. Но все же и оно не стало панацеей от охватывающего ее временами беспокойства. Перестав принимать его, Алена очень быстро вновь начинала ощущать знакомое чувство тревоги и страха. Да и принимать этого снадобья приходилось все больше и больше, а первоначального эффекта оно уже не давало. Потом Василий Петрович принес еще одно средство и еще одно. Алена стала их комбинировать между собой. На какое-то время ей помогло, но теперь она вновь ощущала нарастающее в ней беспокойство.

Лучше бы не было никаких гостей. И зачем только Нюше нужно отмечать этот свой праздник? Впрочем, она молода, каждый прожитый ею год воспринимается с радостью. А вот Алена, будь ее воля, давно бы уже отказалась от всех собственных юбилеев.

— Так мы вас ждем, — повторил Василий Петрович, пожав на прощание руку Виктору Андреевичу и его супруге.

Сева с Вовой оставались на ночь в Дубочках. Оказалось, что они приехали со своими родителями на день раньше Инги и поселились в Буденовке вместе со своими родителями. Инга невольно удивилась такой странности в поведении этих совсем уже взрослых и даже не очень молодых мужчин. Обоим братьям было уже за сорок, они должны были обзавестись собственными семьями — женами и детьми. Однако речь о последних даже не шло. Только братья и их общие, как теперь оказалось, родители.

И улучив момент, Инга затиснула подругу в уголок и постаралась разузнать у Алены чуточку побольше об этом семействе.

— Скажи, а эти Сева с Вовой... они кто?

— Сыновья Виктора Анд...

— Это я уже поняла, — перебила подругу Инга. — А еще что тебе о них известно?

— Ну, Сева работает архитектором-проектировщиком. Дела у него идут не так чтобы хорошо, но и не слишком плохо.

— Семья у него есть?

— Была жена, но он с ней развелся. Остался ребенок, он живет с матерью, и, как я понимаю, та совсем не жаждет, чтобы сын общался с отцом.

— А у Вовы?

— Вова занимается какими-то компьютерными технологиями. У него также имеется семья. Жена и двое взрослых уже детей. Почему они не приехали к нам, я понятия не имею. И если говорить откровенно, Василий Петрович приглашал стариков одних. Но в последний момент они перезвонили и с тысячью извинений объяснили, что к ним неожиданно и без всякого предупреждения приехали погостить их дети. И что они никак не смогут приехать к нам одни.

— И конечно, Василий Петрович пригласил их в Дубочки всех вместе?

— Видишь, ты прекрасно разбираешься в характере моего мужа.

— Ну это же неудивительно, мы столько лет с ним знакомы. О его хлебосольстве ходят легенды.

— Да. — Алена кивнула и внимательно посмотрела на Ингу. — Вот только скажи... Скажи, тебе не показалось, что Вася... что он изменился за последнее время?

— Мы все меняемся. И жизнь меняется. Это такой уж непреложный закон жизни.

Я имею в виду, не показалось ли тебе, что он теперь ведет себя как-то странно?

Инга не стала сообщать Алене о том, что если и говорить о странностях, то в первую очередь нужно вспомнить о самой Алене, которой теперь все время что-то чудится, что-то мерещится и что-то кажется. Но вслух Инга лишь сказала:

— Ничего необычного я не заметила. Но жена ты, так что тебе видней.

— Да, мне видней, — снова кивнула Алена. — И мне кажется, что у Васи кто-то появился.

Инга сначала не поняла, что за очередная блажь пришла в голову ее подруги. А потом вскинулась:

— Кто появился?

— Ну... кто-то. Женщина.

— Ты имеешь в виду, у него есть любовница? — дошло наконец до Инги уже окончательно. — У твоего Василия Петровича?

— Да, у моего Василия Петровича кто-то появился, — угрюмо подтвердила Алена. — Или же мне это всего лишь кажется.

Опять ей что-то кажется!

— Дорогая, — как можно ласковее произнесла Инга. — Василий Петрович искренне любит тебя. И еще он тебя уважает. Он никогда не сделает того, что могло бы оскорбить или унизить тебя.

— Не знаю, я тоже всегда так думала. Но теперь...

Договорить она не успела. Василий Петрович появился в дверях и весело спросил:

— Сплетничаете, девочки? Никак не можете наговориться, болтушки?

И не дожидаясь их ответа, добавил:

— Аленушка, я тут съезжу кое-куда ненадолго.

— Куда это ты собрался? — подозрительно осведомилась у него Алена.

— Максимум через час-полтора буду дома.

— Вася, куда ты все-таки едешь?

— Какая ты, Алена! — натянуто улыбнулся Василий Петрович. — Все-то тебе всегда надо знать. Ну если тебе интересно, то я еду к Ване. Нам необходимо обсудить с ним завтрашний праздник.

— А по телефону это никак нельзя сделать?

— Лучше при личной встрече. И вообще, зачем я тебе сегодня нужен? К тебе приехала твоя подруга, с которой вы не виделись уйму времени. Вы мечтаете о том, чтобы наговориться всласть. Я буду вам обеим только мешать. Так лучше уж я смотаюсь к Ване, заодно проверю, сильно он на тебя дуется или уже отошел.

И, достав из кармана телефон, Василий Петрович набрал номер и произнес:

— Алло, Ваня? Вы там еще не спите? Ну если не спите, то я к вам заеду.

Алена, слушая разговор мужа с начальником охраны, смутилась.

— Конечно, Вася, съезди к ним. Извинись там за меня еще раз. И прости, что я пристала к тебе с этими расспросами.

— Ты всегда такая. Сначала наговоришь кучу всякого неприятного, а потом извиняешься. Не надо делать того, за что после придется извиняться.

И очень гордый своей сентенцией, Василий Петрович вышел из дома. Алена же обратила к Инге страдающий взгляд.

— Видишь, он никогда так еще со мной не разговаривал!

— Нормально он разговаривал. По-моему, ничего особенного.

— Как? А этот его тон?!

— Какой тон?

— Снисходительный и вроде как одалживающий. Что это такое, я — законная жена — уже и не имею права спросить, куда это он едет на ночь глядя? Имею я такое право! Безобразие, сколько лет мы уже вместе, пора бы привыкнуть, что мне необходимо знать про него все!

Инге с трудом удалось отвлечь Алену от ее мятежных мыслей. Но как только подруги вновь разговорились, у Алены зазвонил ее смартфон.

— Это Нюша звонит, — с тревогой произнесла подруга. — Что еще там у них случилось?

Впрочем, голосок Нюши, который приветливо зазвучал из трубки, ничего дурного не предвещал.

— Алена Игоревна, вы не знаете, Василий Петрович к нам все-таки приедет или нет? Он сначала сказал, что приедет, потом сказал, что не приедет. Потом позвонил, велел нам его ждать. И вот мы ждем, а его все нет и нет.

— Как нет?

Взгляд Алены невольно обратился к огромным напольным часам, стоящим в углу комнаты. Они показывали, что с момента отъезда Василия Петровича прошел уже почти целый час. За это время он вполне мог доехать до Вани, переговорить там обо всем и начать собираться домой.

— Я думаю, он скоро появится у вас, — произнесла Алена каким-то деревянным, не своим голосом. — Но если хочешь, я ему перезвоню.

— Нет, нет, мы и сами ему уже звонили. Телефон у него выключен. Но раз вы сказали, что он выехал, значит, будем ждать. Наверное, кто-то его отвлек, вот он и задерживается.

— Спокойной ночи, моя милая, — попрощалась Алена с горничной.

И едва прервав один разговор, тут же вновь набрала другой номер.

— Кому ты звонишь? — осведомилась у нее Инга.

— Васе! Кому же еще!

— Зачем?

— Должна же я узнать, где он болтается.

— Алена, оставь мужа в покое. Он имеет право на...

— На что? Ну же? Договаривай, на что он там имеет право?

Инга смущенно молчала, не зная, что говорить дальше. Право на личную жизнь, но она у супругов по определению вроде как должна быть общей. Право на отдых? Мог бы и дома отдохнуть. Право на измену? Это уж вообще полная чушь, про такое с Аленой лучше вовсе не заикаться.

— Черт! — швырнула свой дорогущий смартфон на диван Алена. — Телефон у него действительно выключен. Сколько раз я его просила заряжать трубку! Так нет же, дотягивает до последней черточки, а потом трубка у него вырубается.

И тут же Алена вновь схватилась за свой смартфон.

— Зачем ты опять ему звонишь?

— Нет, но где он все-таки ходит? Уже час, как он уехал к Ване, а до сих пор его там нет!

Алена звонила, звонила и звонила мужу каждые десять-пятнадцать минут. Но в результате дозвониться ей удалось лишь через час. И когда Василий Петрович взял трубку, он же еще и отругал Алену.

— Зачем ты мне постоянно трезвонишь? Я же сказал, я у Вани!

— Привет, Алена Игоревна, — словно в подтверждение слов Василия Петровича, раздался из трубки голос Вани.

Но Алена так легко не намерена была сдаваться.

— Что у тебя с телефоном? Я не могла до тебя дозвониться битый час!

— Отключился. Понять не могу, что с ним такое. Наверное, надо трубку менять.

— Я давно тебе об этом твержу! — обрадовалась Алена. — Купи себе самый навороченный айфон.

— Ну, мы это с тобой еще потом обсудим, и совсем не по телефону.

Василий Петрович собирался свернуть разговор, но Алена не дала ему так быстро распрощаться с ней.

— Ты уже возвращаешься? — спросила она у мужа.

— Сейчас еще немного поговорим, и я поеду домой.

— Вы еще не наговорились? Ты сколько там уже сидишь? Два часа?

— Алена, я ведь сказал, я уже скоро выхожу.

— Ладно, но давай быстрее. Я по тебе тоже соскучилась.

Василий Петрович не ответил, лишь из трубки раздался его тяжелый вздох. Было похоже, что супруг соскучился по Алене значительно меньше, чем она по нему.

ГЛАВА 4

Дождавшись возвращения Василия Петровича, Инга оставила супругов наедине. Она чувствовала, что Алена еще долго будет пытать мужа насчет его непонятной задержки и столь несвоевременно отключившегося телефона.

Выйдя перед сном из дома, показавшегося ей чуточку душным, Инга оказалась в саду. Тут ей понравилось гораздо больше: было тихо, спокойно и от листьев и цветов исходил дивный аромат, вся природа вокруг нее дышала приятной свежестью. Женщина прогулялась по саду, а затем присела на скамейку, стоящую перед розарием. Сам розарий был освещен, чтобы им можно было любоваться хоть всю ночь, а скамейка, напротив, находилась в тени.

Инга оперлась на удобную высокую спинку и задумалась о том, чему ей сегодня довелось стать свидетельницей. Мысли у нее были нерадостные. Похоже, что подруга и ее супруг переживали какой-то кризис. Инге очень хотелось быть полезной этим двоим, но пока что она не знала, с какой стороны лучше подступиться к данной проблеме.

Внезапно женщина была выведена из состояния своей глубокой задумчивости. Совсем рядом с ней прозвучал мужской голос:

— Как ты думаешь, старики решили это всерьез или просто дразнят нас с тобой?

— Мне кажется, что шутки с финансами недопустимы.

Теперь Инга знала, кто явился ночью в сад помимо нее. Это были те самые братья — Сева с Вовой, которые остались ночевать в Дубочках и которых ночная духота также выгнала на улицу. Но о чем они говорили? Явно о чем-то крайне важном для них обоих, потому что голоса у мужчин звучали озабоченно и даже встревоженно.

— А что говорит твоя мать? Как она оправдывает свой поступок?

— Говорит, что это ее собственные накопления и собственная квартира, поэтому она не понимает, какие тут еще могут быть возражения.

— Но это же нелепо! Они женаты всего несколько лет. Сообща они ничего не нажили. Все, что у них есть, принадлежит их семьям! То есть нам с тобой!

— А если повезет, все достанется одной семье. Кому-то одному из нас.

— И на фига мне такая лотерея? Я на чужой каравай рта никогда не разевал. Пусть мое останется при мне. А чужого мне и самому не надо.

— Я тоже придерживаюсь такой позиции, ты же знаешь. Но проблема в самих стариках. Они оба очень упрямы. Вбили себе в голову эту дурь, как ее оттуда теперь выковырять?

Какую дурь? Какую? Инга изнывала на своей скамейке от любопытства. Ночной разговор двух братьев показался ей очень занимательным. И словно в ответ на ее немую мольбу, Сева произнес:

— Я прямо обалдел, когда отец заявил мне, что они с Марией Петровной сходили к нотариусу и написали новые завещательные распоряжения.

— Все имущество пережившего другого супруга переходит в полноправное его распоряжение.

Теперь Инга поняла, чем так сильно недовольны братья и зачем они примчались к своим пожилым родителям. Оказывается, Виктор Андреевич с Марией Петровной написали завещания в пользу друг друга. Так поступают многие пожилые и одинокие супруги, дабы избежать нападок со стороны второстепенной родни. Но в случае, когда у обоих супругов есть родные дети, да еще от разных браков, это распоряжение вызывало только недоумение.

— Хотел бы я знать: кто им посоветовал такую дурь?

— Не знаю. Возмущен не меньше твоего. Думал об этом сегодня весь день. И знаешь, что надумал?

— Что?

— Давай заключим соглашение между собой.

Вова молчал, внимательно слушая брата.

— Ведь сейчас, если мой отец умрет первым, все его имущество переходит в руки твоей матери, а следовательно, и в твои. А если наоборот, твоя матушка скончается первой, наследство станет моим.

— Женщины, по статистике, живут дольше мужчин.

— Мой отец ежегодно проходит обследование в частной клинике. А твоя мама так же тщательно следит за своим здоровьем?

Судя по недовольному сопению Вовы, его матушка подобного рода вещами себя не затрудняла.

— Видишь, неизвестно, кто из них протянет дольше. Поэтому я и предлагаю тебе заключить соглашение. Ни ты, ни я — мы оба не хотим рисковать понапрасну. Давай сделаем так: кто бы из наших стариков ни скопытился первым, это ровным счетом ничего не будет значить. Когда же умрет и второй, то, невзирая на его указания, мы с тобой разделим его или ее наследство по справедливости.

— Поровну?

— Да! Пусть старики пока что тешат себя иллюзией, что мы выполним их волю, но на самом деле этого не будет. Мы с тобой все поделим между собой. Я возьму то, что причитается мне, а ты заберешь то, что причитается тебе.

— Хороший план, — ответил Вова. — Мне он нравится.

— Так что? Договорились?

— Да. Договорились.

Затем, судя по звуку, братья ударили по рукам и отправились каждый к себе в спальню. А Инга осталась сидеть возле розария, пытаясь обдумать всю эту новую информацию, обладательницей которой она стала за сегодняшний день. И пока что мысли у нее никак не хотели выстраиваться четко в ряд. Метались взад и вперед, касались то одного вопроса, то другого, то третьего. Кто напал на Алену в роще? Почему

Василий Петрович обманывает свою жену? Как смогут братья Сева и Вова справиться с ситуацией, навязанной им их родителями? И наконец, вопрос, может быть и маловажный по сравнению с другими, но для самой Инги крайне занимательный, и звучал он так. Что же представляет собой девушка Нюша, о которой она уже слышала столько разных отзывов, но с которой до сих пор толком не удосужилась познакомиться?

И наконец Инга решила:

«Завтра у девчонки день рождения. Я тоже звана. Там и посмотрю, что за штучка эта Нюша».

И даже наедине сама с собой Инга не решилась признаться в том, что интересовала ее не столько Нюша сама по себе, а то, насколько глубоко завяз в этой ловушке обычно такой бдительный Ваня. Насколько разбиралась Инга в мужчинах, до сих пор сердце Вани принадлежало ей одной. Да, у него были женщины для минутных утех, были любовницы, были даже постоянные связи, длящиеся годами и больше похожие на супружеские. Но при этом сердце Вани никому из этих женщин никогда не принадлежало. В этом Инга не могла ошибиться. Одна лишь она была владычицей и неоспоримой царицей Ваниной души. А теперь получалось, что какая-то другая нахальная и ловкая штучка ухватила то, что раньше считалось собственностью одной лишь Инги.

Думать об этом было до того неприятно, что женщина плюнула и пошла спать. Утро вечера мудренее. Завтра она увидит Ваню и сама все поймет. И уже засыпая в своей пахнущей лавандой и цветами апельсина кровати, Инга снова думала о том, что завтрашний день поможет разобраться ей в чувствах Вани и своих собственных. Пока что происходящее в Дубочках категорически ей не нравилось. Но вполне возможно, что завтрашний день все изменит в лучшую сторону.

Увы, следующий день начался еще хуже, чем закончился день предыдущий. Алена не вышла к завтраку, приказав принести еду к ней в спальню. Василий Петрович хоть и пожелал Инге доброго утра, выглядел тоже не очень веселым. А когда Инга зашла в спальню к своей подруге, то обнаружила завтрак на подносе нетронутым, а саму Алену — с припухшими от слез глазами.

— Мы поругались, — подтвердила Алена невысказанные мысли подруги. — Поскандалили так, как в юности с нами не случалось. Я обвинила Васю в измене, а он в ответ заявил, что я становлюсь чокнутой психопаткой и параноиком. Что он с трудом сдерживается, общаясь со мной в последнее время, и подозревает, что надолго его не хватит.

— Ну, ты, главное, не расстраивайся так. Подумаешь... сказал и сказал! Он этого наверняка всерьез не думает.

— Нет, ты не понимаешь, — ударилась в слезы Алена. — Это он меня так подготавливает к тому, что нашему браку конец!

— Ты, как обычно, все преувеличиваешь.

— Нет, в этот раз я скорее преуменьшаю!

И виновато взглянув на подругу, Алена добавила:

— Прости, что я гружу тебя своими семейными проблемами. Ты иди, займись чем-нибудь интересным. Сама я не могу составить тебе компанию, но Сева или Вова, я уверена, смогут.

Но Инге, во-первых, совсем не улыбалось общаться с братьями. А во-вторых, она видела: если оставить Алену в одиночестве, подруга так и проревет весь день. И к тому моменту, когда им всем придет время ехать в гости к Ване и Нюше, распухнет от слез, как тыква. Алену нужно было срочно чем-то отвлечь. И Инга придумала:

— Помнишь, ты вчера обещала показать мне место, где тебя напугало чудовище?

— Да. И что? — подняла на нее взгляд Алена. — Хочешь туда сходить?

— Думаю, что надо это сделать.

Алена хлюпнула носом, но Инга чувствовала, что настроение подруги уже изменилось. Алена заинтересована, а это самое главное.

— Ладно, — сказала она. — Подожди немного, пока я приведу себя в порядок.

О том, что Алена действительно заинтересовалась, говорило хотя бы то обстоятельство, что она уложилась в какие-нибудь десять минут. Этого времени ей хватило на то, чтобы причесаться, умыться и даже почистить зубы. Также сюда вошло переоблачение из пижамы в обычную уличную одежду. И пусть Алена переоделась всего лишь в бриджи и маечку, Инга точно знала: при желании у подруги на эту процедуру могло уйти от часа до полутора.

— Ну все, я готова. Глаза не очень красные?

— Самую малость.

— Все равно надену темные очки, чтобы прислуга ничего не заметила.

Так в очках Алена и прошествовала по дому в сопровождении Инги. И когда они уже думали, что благополучно выбрались, как позади них раздался голосок Нюши:

— Здравствуйте, Алена Игоревна.

— Нюша! Ты тут? — удивилась Алена. — А почему?

— Работаю.

— Разве тебе не нужно быть дома, готовиться к твоему сегодняшнему празднику?

— Но вы же меня не освободили на сегодня от работы.

— Нюша! — всплеснула руками Алена. — Ты могла бы и сама сообразить, что сегодня тебе приходить не надо. Ты же именинница!

И, раскрыв объятия, Алена поцеловала девушку в обе щеки:

— Поздравляю тебя от всей души.

— Спасибо, — поблагодарила ее та. — Скажите, Алена Игоревна, может быть, вы все-таки придете сегодня к нам?

— Обязательно будем с Василием Петровичем. Как же иначе?

— Да? Правда? — обрадовалась Нюша. — Ой, как хорошо!

— А почему ты решила, что мы не придем?

— Василий Петрович с утра мне сказал, что вы плохо себя чувствуете. И что, наверное, вы не сможете быть.

— Нет, я приду.

— И он тоже будет?

— Ну конечно, — удивилась Алена. — А как же иначе?

— Не знаю, утром он сказал, что будет ухаживать за вами и на мой день рождения прийти не сможет.

Алена так явственно скрипнула зубами, что Инга даже услышала этот скрип. Подруга терпеть не могла, когда решения принимались у нее за спиной. А Василий Петрович частенько этим грешил. Но если в обычное время это самоуправство сходило ему с рук сравнительно легко, то сегодня Алена прощать мужу принятые за нее решения не собиралась.

— Я приду, — твердо сказала Алена. — И Василий Петрович тоже будет у тебя на празднике!

— Так я побегу домой готовиться?

— Беги.

Обрадованная горничная тут же убежала. А разгневанная Алена повернулась к Инге:

— Ты это слышала? Он уже решает за меня, куда я пойду, а куда не пойду!

— Наверное, ты здорово разозлила его вчера.

— А еще вернее, что он просто вознамерился запереть меня дома, а сам отправится на встречу с этой дрянью!

— С какой дрянью?

— С той, к которой мотался вчера вечером!

— Он так и не сумел объяснить тебе, где был два часа?

— В том-то и дело! Отпросился к Ване на час с небольшим, а вернулся назад почти через четыре часа! И еще телефон отключил! Разве не подозрительно?

— Подозрительно, — согласилась Инга. — Но ты не должна идти на поводу у своих эмоций. Василий Петрович очень порядочный человек, он бы не стал тебя так низко обманывать.

— Я и сама думала так же. Но что получается, ты только посмотри! Сегодня он сказал Нюше, что мы с ним не придем к ней на праздник. А мне заявил, что пойдет в любом случае. И что получается?

— Что?

— Что он оставит меня дома одну, а сам к Нюше не пойдет, а отправится развлекаться где-то в другом месте со своей любовницей!

— Ну, ты полегче на поворотах. Любовницу уже какую-то ему придумала. Знаешь, пошли-ка лучше мы с тобой в рощу, займемся делом.

И Инга потянула подругу за собой. Алена послушно зашагала за ней, но ворчать и злиться на своего мужа не перестала. Так они дошли до рощицы, где с Аленой случилось несчастье. Женщина показала рукой на густые заросли орешника:

— Вон там он стоял.

Стараясь не демонстрировать охвативший ее трепет, Инга подошла к орешнику. Уже сейчас он был сплошь покрыт маленькими зелеными орешками. Женщина сорвала одну кисточку и убедилась, что сердцевина у орешков уже поспела. Они вкусно хрустели под зубами, наполняя рот совершенно особенным вкусом едва созревшего лесного ореха.

Бродя вокруг кустов и выбирая орешки покрупнее, Инга неожиданно заметила какой-то инородный темный клок. Она вгляделась и поняла, что перед ней шерсть, запутавшаяся в ветках орешника.

— Алена! Иди сюда!

Та послушно, хоть и без всякого желания, приблизилась к подруге. Инга указала на клок шерсти и спросила:

— Похоже это на шерсть того чудовища, которое тебя напугало?

Алена присмотрелась и кивнула:

— Да. Темная, длинная и густая.

— Отлично, — обрадовалась Инга. — Орешками ему побаловаться захотелось, вот мерзавец!

Она осторожно сняла палочкой шерсть с куста и завернула в те же листья орешника.

— Что ты делаешь?

— Собираю улики для доказательства твоей вменяемости. Сегодня же покажем шерсть Василию Петровичу и Ване. Кстати, у вас в Дубочках нету какого-нибудь отставного криминалиста с большим стажем и опытом работы?

— Нет, что-то я таких не припомню.

— Ну это ничего, — заверила ее Инга. — Была бы улика, а криминалист всегда найдется. Так, смотрим дальше! Что у нас тут?

Инга принялась вертеть головой по сторонам. Куда могло направиться чудовище? И откуда оно могло прийти?

— А что в той стороне?

И Инга махнула рукой в сторону деревьев, которые росли за орешником.

— Там? Ну, деревья, парк. А за ним песчаный карьер, который Василий Петрович со временем надеется приспособить для гонок.

Инга прикинула. Получалось, что основная часть усадьбы располагалась в противоположной от рощи стороне. А это место, видимо, так полюбилось Алене именно вследствие своей отдаленности.

— Та часть совсем запущенная? — все же уточнила она у подруги.

— Разумеется, это только ближайшая к дому часть рощи облагорожена. А дальше по краю карьера растут грибы, я хожу их собирать по осени. Километр туда и обратно точно будет.

Инга снова завертела головой. Что бы еще спросить?

— А дорога эта куда ведет?

— Дальше фабрика консервная строится, о которой я тебе говорила. До нее тоже около километра.

— И там работают люди?

— Конечно.

— Вот и прекрасно!

— Ничего прекрасного нет. Эти люди не видели никакого чудовища. Вася и Ваня спрашивали их.

— Но дорога тут, как я вижу, всего одна, — настаивала Инга. — Значит, кто бы ни переоделся чудовищем, он должен был пройти мимо рабочих. Пойдем, расспросим их.

Девушки уже осмотрели тот отрезок пути, по которому неслась Алена, спасаясь от преследовавшего ее зверя. Но с тех пор прошло уже слишком много времени, рассмотреть какие-либо следы им не удалось. Поэтому они двинулись дальше по дороге, стараясь идти поэнергичней, и вскоре пришли к строящейся фабрике. Рабочие с энтузиазмом приветствовали хозяйку. И лично сама Инга не заметила никакой неискренности в них. Если рабочие чем-то и были недовольны, они свое недовольство держали при себе.

Инга быстро подружилась с мужиками, которые и сами были рады любой передышке в работе, и спросила у них:

— Скажите, а вы тут вчера никого постороннего не видели?

— Это вы насчет бродячей собаки, которая Алену Игоревну напугала?

Видимо, Ваня не нашел более подходящего оправдания своим расспросам и сказал про собаку.

— Мы уж говорили, что никаких животных тут не было.

— А люди?

— Людей посторонних тоже. Фабрика-то еще только строится, зачем людям сюда соваться?

— Но кто-то вообще мимо вас вчера проходил?

Мужики принялись вспоминать. Оказалось, что тут был прораб, был Василий Петрович, был Ваня и были рабочие, подвезшие недостающие стройматериалы.

— Но эти на машине приехали, на ней же и уехали. В сторону рощи они даже и не совались.

— И все? Больше никого не было?

— Еще Нюша приходила.

— Нюша?

— Ну да, как обычно, заглянула около полудня или чуть раньше. Она нам обед каждый день в это время приносит. Ждет, пока мы все съедим, а потом забирает грязные контейнеры.

— Как раз с нами сидела, когда вся эта заварушка в роще случилась.

— Василий Петрович с Иваном прибежали, она потом с ними в сторону дома ушла.

— Хозяйку успокаивать, не иначе!

И рабочие начали переглядываться между собой, странно ухмыляясь при этом. Кажется, они тоже считали, что у их хозяйки маленько поехала крыша, вот ей и чудятся всякие чудища там, где их нет и быть не может.

— А совсем посторонних у вас на стройке никого не было?

Рабочие послушно наморщили лбы: дескать, смотри, хозяйка, как мы напрягли свои мозговые извилины. Но мужики так и не смогли припомнить никого постороннего у них на стройке в тот день. Никто чужой к ним не приходил и мимо тоже не проходил.

Впрочем, Инга все равно осталась при своем мнении. Рабочие Алениному рассказу о чудище не поверили и потому старались что-либо припомнить только для вида. И почему они так себя вели? Видимо, у них было основание не верить словам Алены.

И, когда они вдвоем возвращались назад, Инга вплотную приступила к подруге.

— Ты мне ничего не хочешь рассказать о том, что у вас тут происходит?

— О чем? Я тебе уже все рассказала.

— Совсем все?

— Ну... да.

— Про чудовище из рощи мы с тобой уже поговорили. А больше с тобой ничего странного в последнее время не случалось?

Алена молчала с таким виноватым видом, что Инга почувствовала себя на верном пути.

— С чего вдруг вы так цапаетесь с Василием Петровичем? Он весь на взводе, ты тоже. Ты мне все рассказала?

Внезапно Алена остановилась.

— Ах, Инга, как ты права! — воскликнула она. — Да, есть еще кое-что, о чем я не хотела тебе говорить, но, видимо, все равно придется.

— Ну говори.

В душе Инга ужаснулась. Что еще ей доведется услышать от своей подруги? Что может быть хуже того, что она уже узнала? И так ясно, что прежней беззаботной и спокойной жизни в Дубочках больше не бывать. А Инга-то всегда рассчитывала на поместье Василия Петровича как на укромную и безопасную гавань. Но выходит, зло пробралось уже и сюда.

— Что еще? — с усталой обреченностью спросила она у подруги.

— Понимаешь, это чудовище... это уже не первый раз со мной происходит.

— Ты его и раньше видела?

— Нет, не именно его. Но такие приступы безумия, когда мне мерещится то, чего нет, либо себя я перестаю ощущать, случаются со мной с пугающей регулярностью.

Инга была так ошарашена, что лишь смогла выдавить из себя:

— И... и как часто?

— Примерно раз в месяц.

— Почему ты раньше не рассказывала мне об этих твоих приступах? — поразилась Инга.

Алена помялась, но потом все же произнесла:

— Не хотела, чтобы ты начала ко мне относиться как-то иначе.

— Как?

— Ну... как к сумасшедшей!

— Аленка! — воскликнула Инга. — Ты же моя лучшая подруга. Я же знаю, что ты нормальнее многих. Ты должна была мне все рассказать.

— Да, наверное.

Алена выглядела явно смущенной, и Инга решила не терзать ее напрасными сейчас морально-этическими вопросами. Вместо этого она спросила у Алены:

— И как часто с тобой бывают... эти твои приступы?

— Иногда чаще, иногда реже. Четкой последовательности тут нет. То два-три случая подряд, по разу в неделю, а потом вдруг затихает, и нету ничего пару месяцев или даже больше.

— И давно это длится?

— Примерно с твоего последнего визита.

— То есть самый первый приступ случился с тобой год назад?

— Вроде того. Но тогда я еще не поняла, что это приступ. Просто мне померещилось, что стены в нашем доме начали качаться. Я прибежала к Василию Петровичу, кричу: «Землетрясение!» А он смеется. Тогда и я рассмеялась, поняла, что стены вовсе не качаются, мне это лишь померещилось.

Но это было только начало. Постепенно приступы стали неотъемлемой частью жизни Алены. Она сделала МРТ мозга, но то не показало у нее сколько-нибудь значимых отклонений от нормы. Небольшой зажим позвонков шейного отдела мог вызывать легкие головокружения и повышение давления, но насчет того, что эта проблема может стать причиной галлюцинаций, у врача точной уверенности не было. А с Василием Петровичем после осмотра Алены врачи еще и имели приватный разговор.

— В подавляющем большинстве галлюцинации вызывает прием каких-то вполне определенных веществ. Скажите, вы уверены, что ваша жена не злоупотребляет наркотиками?

— Алена? Никогда!

— Понимаем, — поджали губы эскулапы. — Муж часто бывает мало осведомлен о жизни своей супруги.

— Да где Алене раздобыть наркотики? Приступы случаются с ней чаще всего дома! А дома у нас наркотиками никто не барыжит! Придумали ерунду какую-то! Наркотики!

Василий Петрович был в таком гневе, что врачи не посмели его дольше задерживать. Напоследок они лишь посоветовали ему:

— Но вы все-таки приглядывайте за вашей женой. Мало ли что.

Василий Петрович, разумеется, Алене об этом разговоре не сказал, но он наложил тяжелый отпечаток на его душу.

Со своей стороны Алена тоже не могла не понимать, что галлюцинации могут быть следствием принятия какого-то вещества. Она стала следить за тем, что ест и пьет. Но это не помогало. Да и как быть, если галлюцинации накрывали ее не только дома, но и в общественных местах? Или даже в городе, куда Алена поехала за покупками, — ее «накрыло» в дорогом супермаркете, где она приняла баклажаны за гигантских скорпионов, а кабачки — за гусениц-мутантов.

Время от времени Алена выбиралась из Дубочков, чтобы немного развеяться и сменить обстановку. Иногда она уезжала в Европу или в Питер, где у нее было великое множество родственников и друзей. Но порой ее отлучки носили менее глобальный характер и заканчивались в ближайшем к Дубочкам городке, до которого, впрочем, было почти сто верст с гаком.

— Тот случай в магазине возле прилавка с овощами укреплению наших с Василием Петровичем отношений тоже не способствовал. Когда он вызволял меня из полиции, куда меня отправили сотрудники магазина, он долго допытывался: какого черта со мной происходит?

— Это было грубо с его стороны. Он должен был тебе посочувствовать, а не ругать.

— Но ты же знаешь, как для Васи важно общественное мнение. Он же на всю округу самое важное лицо. На него все смотрят. А тут жена то ли алкашка, то ли наркоманка, то ли вообще сумасшедшая.

— Все равно, — стояла на своем Инга. — Ты же не была виновата. Ты нуждаешься в поддержке мужа, а не в его критике.

— Ну, вообще-то я тогда тоже так подумала. И даже обиделась на него. Но потом посмотрела пленку со скрытых камер в магазине, которую продемонстрировали Васе эти подлые гады охранники, и начала лучше понимать его чувства. Я там просто отвратительна. Нет, без прикрас, я выгляжу там просто омерзительно.

— Допустим, даже и так, — храбро возразила Инга. — Все равно ты не виновата. Это кто-то злой шутит с тобой. Но мы это дело мигом исправим!

И хотя она ровным счетом не представляла, как это у них с Аленой получится, но виду не подала. Нельзя, чтобы Алена вновь начала хандрить. Только не сейчас, когда им нужна вся ее воля и самообладание.

Какое-то время подруги шли по дороге молча. Солнце поднялось совсем высоко, стало припекать. Идти по выложенной камнем дорожке на каблуках было трудновато. Женщины разулись и весело зашлепали по прохладным гладким камням босиком. В таком передвижении был свой секрет. Тут было главное наступить на ровную полированную поверхность, а не попасть в трещинку или на выбоинку.

Внезапно внимание Инги привлекло к себе какое-то необычное темное пятно, маячащее впереди. И уже спустя секунду она поняла, что видит невдалеке силуэт мужчины, стоящего у ствола дерева. Мужчина находился спиной к ним, так что лица его Инга разглядеть не могла. Одет он был вполне тривиально — джинсы и темная футболка. И все же его появление в этом уединенном месте вызвало в Инге чувство какой-то неясной тревоги.

Она подняла руку и коснулась ею руки Алены. Инга специально проделала все это молча, чтобы не спугнуть неизвестного. Но Алена, подняв на нее глаза, тут же оступилась и чуть было не упала.

— Ай! — обиженно воскликнула она. — Как больно! Ногу подвернула.

— Алена, смотри, — шипела Инга.

Но подруга ее не слушала.

— Я из-за тебя чуть было не упала! Ты чего?

— Ничего! — с досадой воскликнула Инга. — Уже ничего!

После первых же звуков голоса Алены таинственный незнакомец, до того стоящий у ствола дерева, мгновенно исчез. Наверное, он просто шагнул за ствол. Но когда Инга подбежала к этому дереву, то она никого не обнаружила за ним. У мужчины было достаточно времени, чтобы скрыться за другими деревьями, углубившись в лес. И в каком направлении он удалился, Инга сказать не могла.

Ей пришлось прекратить погоню. Но с Аленой она все же поделилась увиденным.

— Вот и у тебя начались видения, — с грустью прокомментировала подруга. — Может быть, это болезнь и она заразна?

Но Инга в этом сильно сомневалась. Она была уверена, что видела мужчину и что этот мужчина настоящий. Вот только с какой целью он стоял там? И если он кого-то ждал, уж не Алену ли?

— Скажи, вот ты Василия Петровича в измене подозреваешь, а у тебя самой не появлялось ли какого-нибудь ухажера?

— У меня? — искренне возмутилась Алена. — Да ты что такое говоришь!

— Ладно, я ведь только спросила.

— О таком и спрашивать даже не смей! Если случится такое, что я разлюблю Васю, то я просто встану и уйду. И уж потом пущусь во все тяжкие, включая и любовников тоже.

Да, подобное поведение было в духе благородной Алены. А вот измена — нет.

Вернувшись домой, подруги не стали больше ничего обсуждать, они сразу же отправились по своим комнатам. Каждой надо было привести себя и свои чувства в порядок. Да и про внешность тоже нельзя было забывать. А когда после четвертого десятка хочешь выглядеть на ярком дневном свете хотя бы прилично, нужно об этом серьезно позаботиться. И поэтому Инга, едва придя к себе в комнату, сразу же набрала полную горячей воды ванну, насыпала в нее от души ароматической соли, а потом с наслаждением окунулась в душистую воду.

А Алена, придя к себе, позвала Нюшу для той же услуги. Но горничная не отзывалась. И тогда вспомнив, что это она отпустила на сегодня свою помощницу, Алена взялась за дело сама. Надо было поторопиться, если они не хотели опоздать на праздник к Нюше.

ГЛАВА 5

Подруги спустились вниз, где их уже дожидался Василий Петрович, почти одновременно. Он держал в руках огромный букет лилий.

— Какие красивые! — восхитилась Инга необычайно крупным и многочисленным цветам какой-то невиданной сочной пурпурной окраски. — У вас тут растут?

— Сезон лилий уже давно прошел.

Тон Алены был суховат. И на букет она косилась с видимой неприязнью.

— В город ездил? — спросила она у мужа. — Специально за любимыми Нюшиными цветами?

— Ваня попросил, сам никак не успевал. А мне все равно было туда нужно, вот я и съездил.

Ответ мужа и его заискивающий тон несколько примирил и Алену с существованием букета, но не насовсем.

— Тебе не кажется, что ты слишком носишься с этой девочкой? — спросила она у мужа хоть и без враждебности, но все же с укором. — Не подумай ничего такого, но она может вообразить о себе слишком много.

Василий Петрович ничего не ответил жене. Вместо этого он что-то пробормотал себе под нос. И стоящая рядом с ним Инга разобрала, что бормочет Василий Петрович о том, что тут и так кто-то слишком много вообразил о себе.

Алена же хоть и не могла разобрать слов мужа, но верно уловила интонацию и вновь нахмурилась:

— Что ты сказал?

— Ничего.

И Василий Петрович вышел во двор. Букет он со злостью кинул на стол, сломав два бутона.

— Чего ты на него кидаешься? — спросила Инга у подруги. — Или ты его уже и к Нюше ревнуешь?

— К Нюше? К ней, конечно, нет, не ревную. Вася никогда не посягнет на чужую собственность. Если девочку облюбовал для себя Ваня, то Василий Петрович ни за что не огорчит своего телохранителя. Просто меня задело, что мне он уже сто лет никаких знаков внимания не оказывал, а для нее специально за букетом смотался.

— Знаешь, если ты не перестанешь цепляться к каждому его поступку, то все кончится очередной ссорой.

— Я и не цепляюсь.

— А вчера, когда он немного задержался? Ты ему форменный допрос устроила. И сегодня из-за букета снова прицепилась.

— Но что же мне делать? — простонала Алена. — Что мне делать, если все, что Вася делает, меня теперь выводит из себя?

Да, подруге не мешало бы подлечить нервы. Пожалуй, у тех специалистов, которых она посетила, было маловато опыта. Или нервы были не их профилем?

— Когда у супружеской пары назревает очередной кризис отношений, принято ходить к психотерапевтам.

Но окрестности Дубочков были удивительно бедны такими специалистами. И поэтому, пока не найдется хороший доктор, Инга решила взять роль буфера между супругами на себя. А для начала надо было вывести подругу на улицу и попытаться заставить ее извиниться перед мужем. Инга подобрала букет, убрала сломанные бутоны и порадовалась, что их отсутствие не испортило общего впечатления от лилий.

Но Алена и тут была недовольна:

— Фу, как они пахнут! У меня даже голова разболелась.

Инга и сама почувствовала недомогание. Аромат этих лилий был чересчур уж силен. Пожалуй, на ночь их не следует оставлять в доме, иначе все домочадцы Вани встанут наутро с дикой головой болью.

Оказавшись на улице, подруги завертели головами по сторонам. Василий Петрович стоял у машины, засунув руки в карманы брюк. Вид у него был недовольный.

— Ничего, сейчас ты перед ним извинишься, приласкаешь его, он и оттает, — пообещала Инга подруге. — Он у тебя отходчивый.

Но, к ее удивлению, когда она обернулась в поисках Алены, то подруги за ее спиной уже не оказалось. Алена направилась совсем в другую сторону. А именно туда, где стояла группа из трех человек. Вова, Сева и с ними еще какая-то белобрысая молодка с лицом симпатичным, но в то же время плутоватым и наглым. Алена шагала в направлении троицы с таким разгневанным видом, что Инга моментально поняла: назревает очередной скандал. Она сунула букет Василию Петровичу, а сама кинулась вдогонку за подругой.

Инга подоспела как раз в тот момент, когда Алена ткнула указательным пальцем в грудь женщины и гневно воскликнула:

— Ты! Что ты тут делаешь?

Брови подруги при этом сошлись в одну сплошную полосу, губы сжались, а сама Алена выглядела крайне разгневанной.

— Убирайся прочь, воровка! — прошипела она прямо в лицо оторопевшей женщины.

На ее месте Инга бы унеслась прочь немедленно. Но женщина оказалась не робкого десятка.

— Ругайте меня, Алена Игоревна! — воскликнула она. — Я и впрямь сильно перед вами и перед вашим мужем виновата. Бес меня попутал!

— Вот к нему и иди теперь работать!

— Алена Игоревна, ну, простите меня! Ну, пожалуйста! Хотите, я на колени перед вами встану?

— Нет.

— А я встану! Вы меня знаете, я упорная.

— Чего ты хочешь, Света? — уже несколько тише, но все так же раздраженно произнесла Алена. — Чтобы я обратно тебя на работу взяла в музей? Чтобы и дальше меня обманывать?

Так это та самая Светлана, которую Алене пришлось уволить за систематическое присваивание себе музейной выручки. Теперь понятно, почему так сильно она разгневалась.

— Нет, нет, — воспротивилась Светлана. — Я совсем не за этим к вам пришла.

— А зачем?

— Я предупредить вас хочу, — забормотала женщина. — Знаю, что виновата перед вами, вот и хочу искупить свою вину.

— Это как же?

— Алена Игоревна, голубушка, матушка... Уж вы не прогневайтесь на меня за мою выходку. Муж меня пилил постоянно, что я копейки зарабатываю, требовал, чтобы я на ферму шла работать. К коровам! А я скотины с детства боюсь. И в музее мне так у вас нравилось. Чисто, красиво, люди все время разные приезжают. Мечта, а не работа!

— И поэтому ты принялась меня обманывать?

— Нет, я просто мужу сказала, что зарплату нам повысили, чтобы он от меня со своей фермой отцепился. Так и пошло и поехало. Сначала один раз взяла, потом другой, потом третий...

— Сколько же времени ты меня обманывала?

— Недолго совсем.

— А если точнее?

— С начала лета.

— Света!

— Алена Игоревна, простите!

На какой-то миг Инге даже показалось, что Светлана сейчас бухнется на колени. Но нет, обошлось без таких крайностей.

— Не знаю, Светлана, что мне с тобой и делать, — вздохнула Алена. — Огорчила ты меня просто ужасно.

— Понимаю, Алена Игоревна. Бес меня попутал.

— И врешь ты много.

— Только теперь я вам правду скажу. А вы меня послушайте, я ведь вам про человека расскажу, который в сотню против моего больше вас огорчить может!

Лицо Алены стало серьезным. И она тревожно произнесла:

— Я тебя слушаю.

— Отойдемте в сторонку.

Разумеется, Инга последовала за подругой. Светлана враждебно покосилась на нее, но Алена успокоила женщину:

— Это моя подруга из города — Инга. Можешь спокойно говорить при ней, я полностью доверяю ей.

— Ну как хотите, — пожала плечами Светлана. — Ваше дело. Только тут такой вопрос... щекотливый, что лучше бы нам с вами наедине поговорить.

— Либо говори что хотела, либо убирайся! — рассердилась на нее Алена.

Светлана вновь сделала движение, словно собираясь упасть на колени, но передумала и вместо этого сказала:

— Недоброе против вас затевает один человек. Извести вас совсем хочет. А может, так даже и смерти вашей желает.

— И кто же это? Можешь назвать имя?

— Есть тут у нас одна особа... Да вы тоже ее сами хорошо знаете. На фабрике, где разливочный цех с настойками, эта баба работает.

Алена пожала плечами. Вот уж никак не думала, что беда ей грозит оттуда. На фабрике трудились старушки, которые отвечали за рецептуру снадобий, и несколько их помощниц помоложе, в обязанности которых входило мешать, переливать, процеживать и тому подобные операции, частично механизированные, но частично все еще требующие ручного труда. Кто же из них мог желать Алене зла? Именно на фабрику она всегда приходила с радостью. И работницы встречали ее неизменно приветливо.

— Не догадываетесь? — прищурилась Светлана. — А ведь я про ведьму нашу местную говорю. Про ту, что ваш муж откуда-то привез и у нас в поселке поселил. Про Марину.

У Алены был теперь откровенно удивленный вид.

— Марина? И что же она против меня имеет?

— Место она ваше занять хочет.

— Мне казалось, мы с ней друзья. Она неизменно вежлива и приветлива при встречах со мной.

Светлане этот ответ очень не понравился. И она яростно воскликнула:

— Глаз она свой ведьминский на вашего мужа положила, вот что! Приворожила она его к себе своими штучками ведьминскими. Вот вы мне скажите, откуда у этой твари каждый месяц то новые сережки, то новое колечко берутся?

— Она главный технолог. Зарплата у нее вполне приличная.

— Ох и наивная вы, Алена Игоревна! — покачала головой Светлана. — Муж ей ваш подарки дорогие дарит! Сама видела, как он ей коробочки из ювелирного передает. А теперь эта ведьма и вовсе от вас избавиться желает!

Алена молчала. Было видно, что слова Светланы посеяли в ее душе сомнение. Зато Инга быстро прикинула про себя, правдив ли рассказ Светланы. Получалось, что он мог быть правдой. Те настойки, которые пила Алена и которые могли дурно влиять на нее, приносил ей Василий Петрович именно из своего цеха по разливу целебных настоек. Так может быть, работающая в этом цеху Марина что-то вредное подмешивала в настойки, приготовляемые для хозяйки?

Отсюда и приступы безумия, временами охватывающие Алену?

Видимо, Алена подумала о том же самом, потому что она спросила у Светланы:

— Ты это точно знаешь? Ну, что мой муж и эта женщина... что они встречаются?

— Уж точней некуда. Не сомневайтесь, самые точные сведения у меня.

— Откуда ты это знаешь? — настаивала Алена.

— Да и не мне одной это известно! Все вокруг судачат, что Василий Петрович не иначе как в загул пустился от законной-то супруги, от вас, стало быть.

— И об этом уже говорят?

— А то! Сколько раз вашего мужа в обществе этой Марины видели. И к ней домой он захаживает, как к себе самому. Один раз его даже в трусах у нее в огороде видели.

— В трусах?

Алена побледнела и кинула на своего мужа, стоящего у машины, такой взгляд, словно никак не могла представить себе своего Василия Петровича, разгуливающего в трусах по чужому двору на глазах у чужой женщины да еще и ее соседей. Со своей стороны Василий Петрович явно не ожидал ничего дурного от разговора жены с ее бывшей сотрудницей. Он лишь выразительно постучал по своему запястью, на котором красовался брегет из платины, показывая, что им давно пора ехать. Вид у него был бесстрашный, словно бы никаких грехов он за собой не чувствовал.

Но Светлана не унималась:

— Вот я и говорю, что Марина эта недоброе против вас затеяла. Ее в последнее время все наши в обществе вашего мужа видят. Вы ее шуганите отсюда, пока она к Василию Петровичу не присосалась накрепко. Не бойтесь, она трусливая, послушается вас. Она и к моему супругу вначале подбиралась, да только я ей мигом окна в доме перебила, а ее саму обещала в озере утопить. Так она сразу от него отстала.

— Да, да, — рассеянно произнесла Алена, явно не слушающая уже Светлану. — Я учту. Спасибо тебе за предостережение, я обязательно разберусь.

И она повернулась, чтобы уйти, но Светлана догнала ее, забежала сбоку и вновь оказалась на пути у Алены.

— Так что, может быть, вы меня простите?

— Прощаю.

— И я могу вернуться на свою работу? — обрадовалась Светлана.

Какое-то время Алена колебалась. Но потом все же кивнула.

— Да, вернешься. Но с двумя условиями.

— Какими? Больше не воровать?

— Это само собой разумеется. Но есть и еще две вещи, которые я хочу, чтобы ты для меня сделала.

— Слушаю.

— Во-первых, ты никому не расскажешь о том, что я тебя простила.

— А как же...

— А во-вторых, на работу ты вернешься лишь спустя месяц. Поняла?

— Чем же мне целый месяц заниматься?

— Дома сиди, мужа ублажай.

— За свой счет?

— Очередной отпуск ты еще в мае отгуляла или забыла?

— Все поняла, — опустила голову Светлана. — Все-таки вы меня не простили. Вот как вы меня наказать решили. Я-то к вам с добром, а вы...

— А я и так слишком к тебе добра! Другая бы на моем месте уголовное дело против тебя завела, за решетку тебя упекла. А я лишь месяц предлагаю тебе дома посидеть, и все!

— Все, — проворчала Светлана. — Знали бы вы моего мужика, вы бы так мне не говорили. Да он мне весь мозг вынесет. Каждую минуту меня куском хлеба будет попрекать или снова о ферме разговор заведет. А я не могу с коровами! Меня от них воротит!

— Ну, милая, ты сама виновата.

— Что же, спасибо и на этом.

И крайне раздосадованная Светлана, опустив голову, побрела прочь. А Алена направилась в сторону машины, где поджидал ее Василий Петрович, все еще держащий в руках букет лилий.

— Алена, ничего ему не говори сейчас! — догнала ее Инга. — Алена, ты меня слышишь? Это может быть еще все и неправда. Мало ли чего там эта женщина могла придумать, сразу видно, что она врушка и дико завистливая.

— Ты всего не знаешь.

— Чего я не знаю?

— Василий Петрович уже почти полгода как не спит со мной.

— В смысле? У вас ведь и раньше были разные спальни.

— А теперь он и вовсе ко мне не заглядывает! А когда я к нему прихожу, у него всегда какие-то дела неотложные возникают. Или устал он. Или спать хочет. Понимаешь?

— И все равно я не верю, что Василий Петрович
мог пасть так низко и завести любовницу прямо у тебя под носом. Не верь этой Светлане! Она затаила на
тебя зло и хочет испортить тебе жизнь.

— Я ей особо и не верю, но разобраться все равно
надо.

С этими словами Алена подошла к своему мужу.
Но напрасно Инга беспокоилась, что подруга учинит
разборки именно сейчас. Нет, она была слишком хорошо воспитана, чтобы начать скандальный процесс,
не имея на руках ровно никаких козырей, кроме по-
казаний ненадежной Светланы.

Поэтому сейчас, просияв ослепительной улыбкой,
от которой Василий Петрович прямо оторопел, она
забрала из рук ошарашенного мужа цветы и села вместе с ними в машину.

— Аленушка, — потрясенно пробормотал Василий
Петрович, — какая же ты у меня красивая!

Вот что делает одна улыбка! Женам следует чаще
улыбаться своим мужьям и реже читать им нотации.

Следом за подругой в салон машины забралась
Инга. Ну а Вова с Севой устроились на переднем
сиденье рядом с Василием Петровичем. К счастью,
машина была настолько вместительна, что в ней
свободно могли разместиться не только пятеро, но и
шестеро и даже семеро человек. Так что все доехали
до места проведения праздника в полном комфорте.
Да и ехать тут было меньше километра. В другой раз
можно было бы прогуляться и пешком, но, конечно,
в такой торжественный день хозяин Дубочков, его
супруга и гости не могли явиться на праздник пе-
шими.

Инга не первый раз приезжала в гости к Ване домой. Ей и в прежние свои визиты в Дубочки доводилось бывать у правой руки Василия Петровича. И всегда она находила дом Вани добротно выстроенным, но чуточку скучным. Однако сегодня дом напоминал сказочную картинку с какой-то европейской открытки. Гирлянды, разноцветные воздушные шарики, цветы и белоснежные драпировки украшали все вокруг. Все ухищрения опытных дизайнеров были использованы с целью украсить как можно пышнее место празднования дня рождения Нюши.

Еще подъезжая к домику, Инга издалека разглядела все это великолепие и присвистнула, не в силах сдержать своих чувств.

— Нехило! — прокомментировал Сева, который, высунувшись в окно, тоже разглядывал место предполагаемого праздника.

— Это кто же тут так постарался? — спросила у мужа Алена. — Неужели сам Ваня?

— Из города вызвали специальных людей, они все и украсили.

— Ты мне не говорил об этом.

— Сюрприз хотел сделать. Для того к Ване вчера вечером и мотался.

— Милый, — нежно произнесла Алена. — Ты такой заботливый. Вот только сюрпризы я не люблю. Неужели за столько лет супружества ты этого еще не понял?

— А ты, как всегда, недовольна!

Алена поняла свою ошибку и быстро прикусила язык. Нет, ссориться с мужем сейчас она не собиралась. Поэтому она придвинулась поближе к окну и стала наблюдать за тем, что происходило возле дома Вани.

На лужайке перед домом были накрыты длинные столы для приглашенных гостей. Они были расположены под красивыми полотняными навесами, которые не позволяли солнечным лучам беспокоить людей и закрывали их от любопытных взглядов зевак. Потому что как ни велико было количество приглашенных на праздник, некоторым обитателям Дубочков, конечно, не удалось попасть на торжество. И они глазели снаружи, мечтая о том, что, может быть, позднее пригласят и их.

Выйдя из машины, подруги пошли по плиточной дорожке к остальным гостям. Нюша была тут, в самом центре праздника. Да и как иначе, ведь это был ее день рождения. На Нюше было надето изумительное бледно-вишневое платье, украшенное белоснежными кружевами ручной работы так пышно, что самой ткани под ними почти не было видно. На голове у девушки в высоко взбитых волосах сверкала крошечная бриллиантовая диадема, которая показалась Алене смутно знакомой.

— Мне кажется, или у Нюши такая же диадема, как та, что ты подарил мне на Рождество? — обратилась она к мужу.

— Эта немного меньше.

— Но форма такая же.

— Разумеется. Ее делал один и тот же ювелир.

— Но я знаю, моя диадема стоила тебе целое состояние!

— И что?

— Разве Ваня может позволить себе такие траты?

— Выходит, что может, — пробормотал Василий Петрович, который явно не хотел продолжать разговор на эту тему.

Он быстро отошел от жены к другим гостям. Алена же была не в силах отвести глаз от украшения на голове Нюши. И дело было не в одной бриллиантовой диадеме. Алена была откровенно потрясена всем увиденным. Когда Василий Петрович сказал, что они едут на праздник к девушке, Алена ожидала скромного домашнего застолья, в лучшем случае с приглашенным диджеем. Но все то, что она увидела, многократно превосходило все ее ожидания.

Да и сама Нюша выглядела совсем не похожей на себя саму. Это платье, должно быть, сшито на заказ. И прическу сооружали опытные руки дамского стилиста. А в Дубочках таких мастеров не было, значит, его пригласили со стороны. И никто ничего не сказал о приготовлениях самой Алене. Ну, допустим, они хотели сделать ей сюрприз. Но откуда у Вани взялись такие деньги? Эти украшения, торт, столы и бесчисленные бутылки с дорогим шампанским. Сколько же они могли стоить?

Откровенно говоря, Ваня всегда был немного прижимист. Нет, он не жалел денег на необходимое, но не более того. И вдруг все эти траты. Похоже, Ваня тряхнул мошной, которая накопилась у него за все годы работы на Василия Петровича.

— Ване ничего не жаль для его племянницы! — услышала Алена слова кого-то из гостей.

— Девчонка чудо как хороша.

В новом наряде Нюша казалась настоящей принцессой. И поздравления она принимала с поистине королевским видом. Это было совсем не по рангу племяннице начальника охраны.

Но Алене не удалось сосредоточиться на этой мысли, потому что ее отвлекла Инга.

— Не слишком ли шикарно одета девчонка для простой горничной, как ты считаешь?

Инга повторила вслух те мысли, которые одолевали и саму Алену. Но все же Алена сочла необходимым оправдать телохранителя.

— Раз Ваня так расстарался, значит, ему для Нюши ничего не жалко.

— Он так ее любит?

— Я это и раньше предполагала, но теперь вижу со всей очевидностью.

Инга пошарила взглядом, стараясь найти своего старого знакомого. Ага, вот и он! Но едва Инга увидела Ваню, как ее настроение упало почти до нуля. Он совершенно изменился. И дело было не в том, что он похудел и как-то возмужал. Нет, дело было в том, что обычно он сразу же чувствовал на себе взгляд Инги и поворачивался к ней. А сейчас он не только не смотрел на нее, он вообще не замечал никого вокруг себя.

Все внимание Вани было сосредоточено на одной лишь Нюше, которая беззаботно и задорно смеялась в этот момент. И взгляд Вани был до того хорошо знаком Инге, что сердце у нее болезненно заныло. Сколько раз она ловила этот самый взгляд, устремленный на нее. Но теперь он предназначался не ей, а ее молодой сопернице.

— Ваня, — позвала его Инга, помахав рукой. — Я приехала, Ваня. Привет!

Но тот лишь мельком глянул на нее, улыбнулся, помахал в ответ рукой и вновь уставился на Нюшу. Теперь Инге было окончательно ясно то, о чем она и так догадывалась. Ее место в сердце у Вани окончательно заняла другая женщина.

— Он в нее влюблен.

— Ну что же, будем надеяться, что хотя бы с ней он будет счастлив.

Женщины подошли к Нюше, чтобы поздравить ее с праздником. Нюша, принимая из рук Алены букет, искренне обрадовалась цветам.

— Алена Игоревна, они великолепны! И как раз подходят по тону к моему платью! — воскликнула девушка. — Как это вы угадали?

Она явно ждала ответа, и Алена нехотя произнесла:

— Я не знаю. Цветы для тебя заказывал Ваня.

— Ах, Ваня...

Почему-то Нюша казалась разочарованной, словно она ждала какого-то другого ответа.

— Ну, молодец Ваня, — машинально пробормотала она и начисто потеряла интерес к лилиям.

Они были оставлены девушкой тут же, на одном из столов, и Инге пришлось самой поискать для них вазу, чтобы красивейшие лилии не погибли от жажды. Снаружи никакой подходящей тары не обнаружилось. И в надежде найти что-нибудь приличное для такого красивого букета Инга вошла внутрь. На ее памяти у Вани возле входа должна была иметься чудовищных размеров напольная ваза, выточенная из камня-змеевика. Сама по себе ваза была мрачновата и грубовата, но в сочетании с пурпуром и свежей зеленью листьев лилий она должна была смотреться очень даже выигрышно.

«Налью в нее воды, поставлю лилии. Надеюсь, что внизу они никого своим ароматом не потревожат».

Но войдя внутрь дома, Инга начисто забыла про вазу и лилии. Она вновь не удержалась от изумленного возгласа. Как тут все изменилось со времени ее последнего приезда в Дубочки! Тогда дом Вани был обставлен со строгой умеренностью сурового воина. Никаких излишеств, никаких завитушек и тому подобных глупостей. Серые, белые и черные тона мирно уживались тут. Гладкие поверхности, металл, стекло. И конечно, замечательный черный кожаный диван, занимающий почти все пространство в гостиной и напоминающий пухлого чудовищно обожравшегося удава, проглотившего то ли другого удава, то ли целый поезд.

Но теперь все тут изменилось. Стены были выкрашены в желтый цвет. Повсюду появились яркие цветные пятна, подушечки, занавесочки, картинки и безделушки, которые ясней ясного указывали на то, что в этом доме живет женщина. И не просто женщина, а женщина безмерно любимая и столь же безмерно балуемая хозяином дома.

— Он позволил ей прикрыть его диван меховым пледом, — прошептала Инга в изумлении, откинув плед и обозревая знакомую глянцевую кожаную поверхность дивана. — В цветочках!

Сама Инга отлично помнила, какую истерику закатил ей Ваня, когда она всего лишь принесла ему в подарок набор вышитых премиленькими анютиными глазками столовых салфеток и скатерть с точно такой же вышивкой.

— Это не подходит к концепции дизайна моего дома! — заявил он ей тогда с непередаваемым отвращением. — Это мещанство!

И пристыженная его словами Инга была вынуждена спрятать свой подарок обратно в сумку. А теперь отовсюду со стен на Ингу глазели смешные рожицы гномиков, котята, зайчики и тому подобная слащавая фауна. Про цветочки — незабудки и розочки — вообще можно было не говорить, их тут теперь было целое море.

— Ну и Нюша! Ловко она этого старого дурака окрутила.

Теперь, когда Ваня перекочевал из разряда ее собственных поклонников в разряд поклонников другой женщины, Инга могла не колебаться в выборе эпитетов для его характеристики.

— Уж не знаю, кем она ему там приходится, племянницей или любовницей, но он втрескался в нее без памяти!

Инга решительно проследовала к тому месту, где, как ей помнилось, должна была стоять упомянутая ваза из змеевика. Но, подойдя ближе, она опять в изумлении остановилась. Да, ваза тут была, но совсем другая. Кобальт, позолота и вычурные изображения кавалеров и дам в придворных туалетах с маячащими за их спинами жирненькими крылатыми амурами. Ручки у этой вазы были из позолоченной бронзы, но Инга с трудом заставила себя прикоснуться к ним.

Вот эта ваза действительно была просто верхом безвкусицы и пошлости. А ее скатерть была из чистого льна, да и вышивка на ней была почти незаметна. И все же Ваня скатерть отверг с презрением, обозвал безвкусной, а вот эту вазу, судя по всему, таковой не считал.

С трудом вытащив вазу, оказавшуюся к тому же дико тяжелой, из ее угла, Инга налила в нее воды, вошло почти целое ведро, поставила цветы, расправила их и наконец вздохнула с облегчением. Все, с делами покончено, можно отправляться к гостям.

— Как вы, дорогуша?

Инга вздрогнула, но оказалось, что это всего лишь Виктор Андреевич, ее старый знакомый. Он подошел к молодой женщине, чтобы поздороваться с ней.

— Я вижу, что напугал вас.

— Все в полном порядке. Разве вы можете меня напугать? Вы такой милый и обаятельный... А где ваша супруга?

— Маше что-то нездоровится, — вздохнул Виктор Андреевич. — Увы, в нашем возрасте недомогания случаются уже слишком часто. И они могут застать в самый неподходящий момент.

— Ой, что вы! А что случилось?

— Сам не пойму. Маша выпила всего бокал шампанского. И через несколько минут пожаловалась на духоту и головокружение.

— И где она?

— Тут, в доме. Ваня был настолько любезен, что уступил Маше свою собственную спальню.

— Я немедленно пойду и проведаю ее.

Но Виктор Андреевич удержал Ингу за руку.

— Думаю, что это не самая лучшая идея. Маша хотела побыть одна.

— Ну тогда не пойду, конечно.

Виктор Андреевич подставил Инге свою руку и предложил:

— Пойдемте-ка мы с вами, голубушка, к столу. Мне кажется, гости уже рассаживаются. Не будем портить имениннице настроения.

Для увеселения публики был приглашен ведущий, через слово сыплющий смешными анекдотами, кордебалет, способный с одинаковым задором отплясывать как джигу-дрыгу, так и танго, и классический вальс, и многие другие танцы. А также была приглашена парочка певцов, исполняющих самый широкий музыкальный репертуар.

В общем и целом застолье прошло очень весело, если не считать того, что Ваня торчал возле левой руки Нюши, словно приклеенный. А Василий Петрович прочно занял место по правую ее руку и тоже никуда ни на минуту не отлучался.

Он почти не обращал внимания на жену. И Инга со своего места видела, что Алену это больно задевает. Она почти ничего не ела и лишь время от времени отпивала из своего бокала по крошечному глоточку. Зная, как подруга любит вкусно поесть и попить, Инга понимала, что настроение у Алены совсем уж кошмарное, если она даже не смотрит на свои любимые тигровые креветки.

Наконец Алена не выдержала и, воспользовавшись перерывом в представлении, встала из-за стола. Инга, которую Виктор Андреевич также оставил своим вниманием, немедленно оказалась рядом.

— Ты куда?

— В туалет.

— Я пойду с тобой.

Алена ничего на это не сказала, и Инга направилась за ней следом. Она хотела взять подругу под руку, но Алена молча высвободилась и пошла сама.

Инге ничего не оставалось, как идти поодаль и лишь наблюдать за подругой. Увиденное ее не радовало. Алена двигалась как-то странно, создавалось впечатление, что у нее кружится голова и вообще — то ли она упадет сейчас в обморок, то ли просто упадет.

Но дойти до дома им так и не было суждено. Неожиданно Алена сдавленно хмыкнула и произнесла:

— Смотри-ка, я змея.

— Что?

— Змея, — повторила Алена, к ужасу Инги плюхаясь на землю и извиваясь всем телом. — Я — змея. Я ползу!

— Алена, — зашептала Инга, пытаясь поднять подругу на ноги. — Ты что вытворяешь? Перестань!

Но Алена продолжала свою странную и нелепую игру.

— Смотри, я змея! — в упоении восклицала она, лежа на животе.

— Умоляю тебя, вставай! На нас же люди смотрят.

И действительно, так как подруги не успели еще войти в дом, то все это представление разыгрывалось прямо на глазах многочисленной публики. Разинув рты, люди наблюдали за тем, как супруга всеми уважаемого хозяина Дубочков извивается в пыли, пачкая свое изумительное новое платье.

— Алена! — чуть не плакала Инга. — Ты чего делаешь?

Но Алена была невменяема. Она продолжала хохотать и извиваться всем телом. И самое ужасное, что она действительно ползла. Потихоньку, но все же продвигалась вперед, продолжая издавать жуткие звуки — смех пополам со змеиным шипением.

Неизвестно, чем бы все это закончилось, но рядом оказались Василий Петрович и Ваня, которым удалось совместными усилиями поставить Алену на ноги.

— Ты что вытворяешь? — зло прошипел в лицо жене Василий Петрович. — Немедленно прекрати!

Но Алена лишь зашипела в ответ, чем едва не довела мужа до сердечного приступа. Схватившись за левый бок, Василий Петрович тем не менее не утратил способности отдавать команды.

— Тащите ее в дом! — велел он Ване и Инге.

К счастью, Алена оказалась податливой. Она совсем не сопротивлялась, когда Ваня с Ингой тащили ее почти по воздуху. Ноги Алены болтались, а с ее губ по-прежнему срывалось шипение. Когда все четверо оказались в доме, и Василий Петрович, шедший последним, с грохотом захлопнул за своей спиной дверь, он подскочил к супруге:

— Алена, прости меня!

И с этими словами он ударил Алену по щеке. Не сильно, но все же ударил. Однако пощечина не произвела на Алену ровным счетом никакого эффекта. То есть того эффекта, на который рассчитывал Василий Петрович, точно не произвела. Женщина заплакала, но шипеть не прекратила.

— А ну-ка перестань! — взмолился Василий Петрович.

Он вознамерился влепить Алене еще пощечину, но Инга повисла у него на руке.

— Не бей ее! Ты же видишь, она не в себе.

— Вижу! Поэтому и хочу, чтобы она пришла в себя.

— Пощечина ей не поможет.

Схватившись за голову, Василий Петрович взвыл:

— Надо же так меня опозорить! Никогда бы не подумал, что Алена способна на такую гадость!

— Она не виновата.

— При всех такое отчебучить! Инга, что с ней происходит? Ты ее лучшая подруга. Скажи мне, она сходит с ума?

Ваня стоял рядом и только сейчас подал голос:

— Василий Петрович, разрешите, я вызову врача?

— Что? Врача? Да, Ваня, давай врача. И тем в «Кассандру» позвони. Скажи, чтобы подготовили палату.

Услышав это, Инга насторожилась.

— Куда это ты собираешься отправить Алену? Что за «Кассандра»?

— Это такой пансионат.

Но прямодушный Ваня тут же сдал своего хозяина.

— Пансионат... как же! Самая настоящая психушка, только что с больными там по-человечески обращаются, голодом не морят и к кроватям не пристегивают. А так обычная психушка!

Инга ощутила себя так, словно она долго-долго куда-то падала, а потом наконец достигла дна и с размаху в него впечаталась. На какое-то мгновение у нее перехватило дыхание, отключился слух, речь и вроде бы даже зрение. А когда она наконец обрела возможность внятно изъясняться, то заорала во весь голос:

— Алена не сумасшедшая!

— Инга, помолчи! — раздраженно покачал головой Василий Петрович. — Ты давно не виделась с Аленой. Не знаешь, в каком кошмаре мы тут жили все последние месяцы. Мы с Ваней давно решили: еще один инцидент — и Алена должна будет лечиться.

И видя, что Инга собирается возразить, махнул на нее рукой:

— Не перебивай. Ты ничего не знаешь!

— Алена мне все рассказала! И она не сумасшедшая. Это ты во всем виноват!

— Я?

— Ты и эта твоя Марина!

— А Марина-то тут при чем? — разинул рот Василий Петрович.

— Это она подливает Алене какую-то ядовитую дрянь в настойки! Именно от этой дряни Алена и делается словно сумасшедшая!

Судя по лицу Василия Петровича, он ожидал услышать от Инги что угодно, но только не это.

— Подливает? Марина?

— Да, твоя драгоценная Марина травит твою жену! Выставляет ее сумасшедшей!

Василий Петрович смотрел на Ингу так, словно видел ее впервые в своей жизни.

— Мне кажется, тут не одна Алена спятила, — наконец произнес он, но голос его звучал уже гораздо тише и как-то даже бодрее. — И с чего же, позволь тебя спросить, у тебя появилась такая дикая версия?

— А с того... с того...

Инга задыхалась от сдерживаемого до сей поры возмущения. Ну она не Алена, ей терять нечего! И она выпалила прямо в лицо мужа своей подруги:

— А с того я так решила, что ты спишь с этой Мариной! Девка возомнила о себе слишком много и решила занять место твоей супруги. Вот!

Василий Петрович отшатнулся от Инги с таким видом, словно это она превратилась в опасную ядовитую кобру, которая собиралась напасть на него. Инга молча ждала, когда Василий Петрович что-нибудь возразит ей. Судя по тому, как ходили желваки у него на скулах, сказать он мог очень многое.

— Ну же! Говори!

Инга была в запале. Ей очень хотелось, чтобы Василий Петрович сказал хоть что-нибудь такое, что позволило бы ей вновь относиться к нему по-дружески. Но он произнести в свое оправдание ничего не успел, потому что в этот момент со второго этажа раздался ужасный крик. И все в доме, включая Ингу и даже саму Алену, уже потихоньку приходящую в себя, со страхом взглянули наверх, а затем кинулись бежать к лестнице.

ГЛАВА 6

Первым по лестнице помчался наверх Ваня. Он был у себя дома и собирался лично разобраться с шутником, вздумавшим беспокоить его гостей неуместными воплями. Василий Петрович побежал следом. Ну а Инга с Аленой заковыляли потихоньку. Безумие уже начало потихоньку отпускать Алену, она больше не делала попыток опуститься на пол и ползти на животе. Передвигалась, как и положено человеку, на двух задних конечностях. И хотя время от времени еще издавала слабое шипение, состояние ее уже заметно улучшилось.

Но расспрашивать Алену о том, что же с ней такое приключилось, зачем она вздумала валять дурака на глазах у всех, времени не было. Сверху раздался новый вопль, а следом за ним еще и еще один.

— Да что же там случилось?!

Кричал мужчина. И голос был похож на голос Виктора Андреевича.

— Помогите. Умоляю, кто-нибудь сюда! Скорей!

Ваня, который первым оказался в дверях спальни, недовольно воскликнул:

— Что у вас тут происходит?

— Помогите, — чуть не плакал Виктор Андреевич. — Маша... ей плохо!

На кровати поверх покрывала лежала бледная Мария Петровна. Лицо у нее и впрямь было искажено жуткой судорогой, застывшей и неподвижной. Взглянув на женщину, Инга и сама вскрикнула:

— Что с ней?

— Я не знаю. Она не дышит!

Ваня взволнованно шагнул вперед. Он просканировал взглядом тело бедной женщины, затем повернулся к Виктору Андреевичу и спросил:

— Вы в этом уверены?

— Черт подери, молодой человек, конечно, я уверен!

Однако Ваня не удовольствовался этим ответом. Подойдя к кровати, на которой было распростерто тело пострадавшей, он сам прикоснулся сначала к ее запястью, а затем, взяв с туалетной полочки зеркальце, приложил его к губам Марии Петровны и вгляделся в серебристую поверхность. Увы, зеркало даже с самого краешка и то не запотело.

Лицо Вани омрачилось еще больше.

— К сожалению, вы правы. Дыхание отсутствует. Впрочем, пульс и сердцебиение тоже не прощупываются.

— Сделайте что-нибудь! Почему у нее такое лицо? Тут есть врач?

— Боюсь, что врач здесь ничем уже не поможет, — произнес Ваня. — Он не нужен. Разве что для констатации свершившегося факта.

— Я вас не понимаю, молодой человек.

— Мужайтесь.

Ваня взглянул на Виктора Андреевича с сочувствием:

— Мужайтесь, ваша супруга скончалась. Назад к жизни ее не сможет вернуть ни один врач.

Услышав это, Инга прижала руки к груди и невольно воскликнула:

— О нет!

Ваня кинул в ее сторону удивленный взгляд. Инга смутилась своего возгласа и лишь сумела промямлить в оправдание:

— Это всегда так ужасно, когда умирает кто-то знакомый или близкий.

— Не думал, что вы были так близки с покойной, — произнес Ваня и деловым шагом вышел из комнаты.

Следом за ним вышел и Василий Петрович, предварительно удостоверившийся, что с Аленой все в порядке.

Но Инга знала, почему она столь близко к сердцу приняла смерть Марии Петровны. Знала и почему невольно вскрикнула, поняв, что старушка скончалась. Все дело тут было в полночном разговоре двух братьев, Севы и Вовы, и в заключенном ими взаимном договоре.

Следуя этому договору, как поняла Инга, все движимое и недвижимое имущество, к кому бы из стариков оно ни перешло, должно быть разделено впоследствии между двумя братьями. Но что, если один из братьев решил обмануть другого? В таком случае подозрение падало на Севу. Именно его отец отныне становился полноправным владельцем всего того, что принадлежало Марии Петровне при ее жизни.

И коли уж Сева отважился на убийство, как знать, не последует ли сам Виктор Андреевич той же дорогой, что и его супруга? Тогда один Сева будет распоряжаться всем. А про договор с Вовой он может благополучно забыть.

Ни Сева, ни Вова не производили на Ингу впечатления искренних и бескорыстных людей. Она была уверена, что за наследство каждый из них будет сражаться аки лев, не отдав ни единой кровной копеечки в чужие руки. Но вот способен ли кто-то из них был идти по этой дороге до самого конца, вплоть до убийства?

— А отчего она умерла? Как ты думаешь?

Эти слова подруги вывели Ингу из состояния задумчивости, в которое она погрузилась. И мысленно женщина обругала себя глупой клушей и паникершей. Действительно, прежде чем обвинять людей в чудовищных прегрешениях, нужно проверить, не умерла ли старушка вследствие вполне естественных причин, таких как, например, ее весьма преклонный возраст?

Впрочем, в это с трудом верилось. Лицо покойницы искажала гримаса ужаса.

— Такое впечатление, что ее напугали до смерти.

Подруги старались вести диалог шепотом, чтобы не мешать Виктору Андреевичу, который глухо стонал, сжимая в своих больших ладонях руку покойной. Инга отошла подальше и встала за кроватью. Так, Мария Петровна лежала тут, куда же она могла смотреть? Получалось, что на стену. Но на стене была лишь картина, довольно уродливая. Фиолетовые кубы громоздились на неустойчивых шарах, а сверху их придавливали какие-то кособокие шестигранники. Что это могло означать, Инга даже не стала задумываться. Картина была уродлива, но все же не настолько, чтобы напугать кого-то до сердечного приступа.

Может быть, кто-то прятался за картиной? Вдруг там ниша или тайный ход? Женщина подошла к картине и осторожно потянула на себя один угол. Ничего особенного, бледно-серая гладкая стена, точно такая же, как во всей спальне. Создавалось впечатление, что Нюшины розочки и безделушки, заполонив собой весь дом, не проникли лишь в одно-единственное место — Ванину спальню. И это почему-то очень понравилось Инге, приободрило ее. Получалось, что еще не все потеряно. Если Нюша еще не завладела Ваниной спальней, значит, можно еще вернуть Ваню на путь истинный.

— Скоро мы с тобой встретимся.

Это попрощался с женой Виктор Андреевич. Он поправил прядь волос на ее голове и прикрыл рукой глаза.

— Не могу на это смотреть. Она так страдала перед смертью. Как думаете, что могло настолько испугать ее?

— Может быть, она что-то вспомнила.

Но Виктор Андреевич покачал головой.

— Моя жена была крепким духовно и нравственно человеком. Она верила в Бога. Давно уже покаялась и раскаялась во всех грехах молодости, если таковые у нее и были. Не думаю, чтобы она вот так прилегла на минуточку и внезапно вспомнила о чем-то таком, что заставило ее сердце остановиться.

Подругам тоже в это не очень-то верилось. Мария Петровна произвела на них впечатление человека счастливого, благополучного, любящего и любимого. С чего вдруг ей пугаться до смерти?

Несмотря на случившуюся трагедию, праздник в доме шел своим чередом. Ваня не сообщил гостям о произошедшем. Как не без ревности подумала про себя Инга, наверное, он слишком любил Нюшу, чтобы испортить ей день рождения из-за такого пустяка, как смерть одной из гостий. Лично Инге казалось, что Ваня мог бы проявить и побольше уважения к покойной и к ее мужу, которые все еще находились в доме и которых мог побеспокоить шум вечеринки. То есть Виктора Андреевича он мог побеспокоить, потому что Марии Петровне, конечно, было уже решительно все равно, что происходит вокруг ее тела.

— Ваня сделал так, как он сделал, — только и прокомментировала его поступок Алена.

И никто больше не открыл рта, чтобы вслух осудить телохранителя.

Прибывшего вскоре врача Ваня провел через задний ход, чтобы не смущать гостей и хозяйку праздника. Потому что Нюша веселилась вовсю. Ее звонкий задорный голос доносился даже в спальню, где лежало тело покойной Марьи Петровны. В конце концов у Инги не выдержали нервы, она подошла к окну и плотно прикрыла раму. Пусть лучше они побудут тут в духоте, чем слышать эти взрывы жизнерадостного хохота, когда у них здесь мертвое тело жены и убитый горем муж.

Возвращаясь на свое место, она увидела благодарный взгляд Виктора Андреевича и ободряюще кивнула ему.

— На первый взгляд похоже на инфаркт.

Такой вердикт вынес приехавший врач, осмотревший тело несчастной.

— А это выражение ужаса у нее на лице?

— Вероятно, произошло непроизвольное сокращение лицевых мышц, — пожал плечами врач. — Возможно, она поняла, что умирает, и это привело ее в ужас. Но точное заключение о ее смерти сможет дать только вскрытие.

— А оно... оно обязательно? — вздрогнул Виктор Андреевич. — Я бы не хотел, чтобы ее резали.

— Вы — кто?

— Это супруг покойной.

Врач несколько смягчился, но все равно стоял на своем:

— Боюсь, что без вскрытия в данном случае обойтись невозможно. Насколько я могу видеть, ваша супруга вела активный образ жизни?

— Да, более чем. Мы много ездили. И даже тут мы были всего лишь в гостях.

— Ваша жена страдала сердечно-сосудистыми заболеваниями?

— Вообще-то она на здоровье не жаловалась никогда. Зрение у нее с возрастом стало падать — это да. Но после операции по замене хрусталика оно вновь восстановилось.

— Какие-то еще недомогания?

— Нет, не припомню ничего особенного. Обычные старческие болячки. То в спине стрельнет, то колено распухнет, то печень прихватит.

— Вот видите, в таком случае ее скоропостижная смерть вызывает у меня недоумение. Впрочем, как я уже сказал, вскрытие расставит все точки в этом деле.

К сожалению, врач сильно ошибался. И смерть Марии Петровны не поставила точку, наоборот, она лишь положила начало целой цепочке ужасных событий, которые выпали на долю друзей.

Наконец в комнате появились Вова с Севой, которых вызвал потихоньку Василий Петрович. Он решил, что они должны попрощаться с женщиной, ведь одному из них она была матерью, а другому — мачехой. И подругам вместе с Василием Петровичем пришлось тактично выйти из спальни, чтобы дать возможность детям и мужу попрощаться с покойницей наедине.

А веселье внизу все никак не прекращалось. И Алена не выдержала первой. Взглянув на мужа, она твердо произнесла:

— Надо поставить Нюшу в известность.

— Это испортит девочке праздник.

Но Инга согласилась с подругой.

— Праздник и так уже испорчен, только Нюша об этом еще не знает. Несправедливо скрывать от нее правду и дальше. Она будет сердита на нас за то, что мы позволили ей веселиться, когда с одним из гостей произошло такое непоправимое горе.

Только после этого Василий Петрович согласился пойти к Нюше. И надо сказать, что девочка отреагировала в точности так, как и ожидала от нее Инга. Именинница немедленно оставила гостей и прибежала в дом.

— Кто умер?

С этим восклицанием она влетела в дом. Но увидев Ингу с Аленой, стоящих возле бара, неожиданно замерла, а потом кинулась на грудь к Алене.

— Алена Игоревна, вы живы! Я так за вас испугалась!

— А почему я должна была умереть?

— Василий Петрович сообщил мне о несчастье. И я почему-то подумала о вас. Но вы живы! С вами все в порядке?

— Со мной все прекрасно, благодарю, — произнесла Алена, растроганная таким бурным проявлением чувств к своей персоне. — Несчастье случилось с другой твоей гостьей.

— С кем?

— Супруга Виктора Андреевича скончалась.

— А-а-а, — безразлично и даже как-то разочарованно протянула Нюша. — Старуха!

Но тут же она спохватилась и изменила тон:

— Бедный Виктор Андреевич! Представляю, как он переживает сейчас! Просто ужасно, что это случилось именно сегодня.

— Смерть никогда не бывает вовремя.

— Алена Игоревна, а вы-то сами, как себя чувствуете?

— Со мной все хорошо, спасибо.

Но Нюша не сдавалась:

— Просто я видела, как вы упали на землю и...

— И давай об этом забудем, — перебила ее Алена. — Я неудачно пошутила, вспоминать об этом мне неприятно. И разговоры на эту тему мне тоже неприятны.

Она твердо взглянула на Нюшу, которая поспешно забормотала:

— Хорошо, хорошо, я все понимаю. Больше не буду, просто мне показалось, что Василий Петрович был очень недоволен.

— Нюша, помолчи!

Девушка зажала себе рот, испуганно глядя на хозяйку. Видимо, прежде Алена не позволяла себе разговаривать с горничной в таком тоне. И теперь на глазах девушки навернулись слезы.

— В чем дело?

Это появился Василий Петрович. И тут Нюша внезапно расплакалась. Из ее глаз потекли бурные потоки и, всхлипывая, она попыталась объяснить:

— Алена Игоревна... она... она...

Не договорив, Нюша убежала прочь.

— Алена! — повернулся Василий Петрович с разгневанным видом к жене. — Чем ты так обидела девочку?

— Я ей всего лишь сказала...

Но Алене не удалось промолвить ни словечка в свое оправдание. Внезапно в комнате появился Ваня, восклицавший:

— Алена Игоревна, что вы такое Нюше сказали, что девчонка вся в слезах ко мне прибежала?

Василий Петрович тоже встал рядом с ним.

— Алена! Мы требуем ответа!

— Ах, да уйдите вы все прочь! — воскликнула Алена в сердцах. — Что вы тут устроили? Нюша ваша драгоценная расплакалась! Весь мир, что ли, вокруг Нюши крутится? У меня тоже есть чувства! Но почему-то про них никто даже и не думает.

Но ее слова не произвели ровным счетом никакого впечатления на мужчин. Что Василий Петрович, что телохранитель смотрели на Алену с одинаковым порицающем выражением на лицах.

— Ты в последнее время стала просто невозможна, — произнес наконец Василий Петрович и вышел вон.

Следом за ним покинул подруг и сам Ваня. Напоследок он кинул на Алену такой осуждающий и полный невысказанных упреков взгляд, что ни у кого не возникло сомнения: Ваня считает, что его хозяйка непозволительна грубо обошлась с его Нюшей.

Подруги остались вновь наедине и переглянулись между собой.

— Творится что-то неладное, — пожаловалась Алена подруге. — Раньше у них всегда была права я, а теперь они оба всегда на стороне Нюши. Ты что-нибудь понимаешь?

— Кроме того, что ты не сказала Нюше ничего обидного, лишь только велела ей помолчать, я ничего особенного не заметила.

— А она устроила форменную истерику, — задумчиво произнесла Алена.

— Причем устроила ее на ровном месте.

— Да, я бываю грубой и резкой, но только не сегодня и не с ней.

— Сегодня Нюша сама нарывалась на отпор, а когда получила приказ замолчать, разревелась и побежала жаловаться к Ване. Да еще и перед мужем тебя негодяйкой, которая мучает маленьких девочек, выставила.

— Странное поведение. Зачем она так поступила? Раньше я ничего такого за ней не замечала.

Инга пожала плечами.

— Думаю, что это всего лишь последствия стресса и выпитого алкоголя. Мне кажется, Нюша так веселилась, потому что здорово напилась. А где вино, там сначала смех, а потом слезы. Это давно известная всем истина. Пьяный человек сначала веселится, потом плачет, а после и в драку может полезть.

— Будем надеяться, что до этого хотя бы не дойдет.

— Знаешь, мне плевать на то, какие черти у Нюши в голове, — откровенно призналась подруге Инга. — Куда больше меня волнует, что происходит с тобой.

— А что такое?

— Зачем ты притворялась змеей?

— Инга...

— И не проси меня тоже замолчать. Я хочу знать, что с тобой случилось?

Алена поникла головой:

— Я и сама не понимаю. На меня снова накатило.

— Накатило?

— Да, накатило, как уже бывало за последнее время не раз и не два. На этот раз я почувствовала себя змеей. Такой большой, гладкой и очень красивой. У меня было нагретое на солнце тело. Мне захотелось ползти, и я поползла. Долго это длилось?

— По счастью, всего пару минут.

— Хорошо, — просветлела лицом Алена. — Можно попытаться выдать это за шутку.

Голос ее звучал неуверенно. Да и сама Инга полагала, что надо стараться не замаскировать проблему, а отыскать ее корень и уничтожить его.

Между тем в отсутствие именинницы, которая ушла в свою комнату и по-прежнему не выходила оттуда, праздник начал затухать. Гости расходились смущенные; они чувствовали, что происходит что-то неладное. Всех провожал один лишь Ваня, который неизменно твердил:

— Простите, но одному из гостей внезапно стало нехорошо.

Наконец остались только самые близкие. Ваня избегал смотреть в сторону Алены. А когда она сама подошла к нему, пробормотал какое-то извинение и быстренько смылся.

— Наверное, нам тоже лучше уйти, — потянула Инга подругу за руку. — Скоро приедут за телом Марии Петровны.

— Нет, я не могу вот так исчезнуть. Мне надо поговорить с Нюшей. Должна понять, чем я ее так сильно обидела.

И, не слушая протестов подруги, Алена устремилась к спальне именинницы.

— Нюша, — постучала она в дверь. — Открой мне, пожалуйста.

Но из-за двери не раздалось ни звука.

— Нюша, за что ты на меня обижаешься? Я не понимаю, чем могла тебя задеть.

И снова ни звука.

— Ну и дуйся сколько хочешь! — вспыхнула Алена. — Ты скверно поступаешь. И если ты думаешь, что я потерплю такое отношение к себе, то очень ошибаешься. Пока еще хозяйка тут я, а ты всего лишь горничная!

Из-за двери вновь не послышалось ответа. Зато когда Алена повернулась, чтобы уйти, то наткнулась на своего мужа. Он появился как будто из ниоткуда и, конечно, слышал последнюю фразу Алены. И теперь он смотрел на нее каким-то очень странным задумчивым взглядом. И от этого взгляда Алене стало не по себе еще сильней.

Однако, выйдя на улицу и уже садясь в машину, они увидели Нюшу, которая брела к дому. Девушка и не думала плакать. А увидев своих хозяев, она поспешила к ним.

— Алена Игоревна! Василий Петрович! А что? Куда вы? Вы уже уезжаете?

— Думаю, что так будет лучше. Нам всем показалось, что ты хочешь остаться одна.

— Вовсе нет. Просто от всего случившегося у меня голова пошла кругом.

— И не у тебя одной.

Алена вновь улыбалась. Ей было приятно сознавать, что инцидент с Нюшей исчерпан. Хоть одной проблемой меньше.

— День рождения испорчен, — поникла головой девушка и еще более грустным голосом добавила: — Но это, конечно, ерунда по сравнению со смертью Марии Петровны. Как мне ее жаль! Если бы вы только знали!

— Ты ни в чем не виновата. Мария Петровна уже в годах, такое могло случиться с ней в любом месте.

— Но случилось именно у меня... на моем дне рождения!

На глазах у Нюши вновь навернулись слезы. И Алена поспешила повторить:

— Ты ни в чем не виновата. И никто не виноват.

Инга, которая тоже находилась рядом и которая все это время внимательно рассматривала обувь Нюши, внезапно спросила у девушки:

— А где ты была?

— Я?

Казалось, Нюша растерялась и не рада этому вопросу. Она даже не нашла ничего лучше, чем хамовато ответить Инге:

— А какое это имеет значение?

Но Инга не приняла ее вызова. Она лишь миролюбиво произнесла:

— Просто интересно, где ты была, раз тебя не было в твоей комнате.

— Я... так просто... гуляла. Нервы хотела успокоить, вот и ушла из дома.

— И куда ездила? — не сдавалась Инга.

— Ездила? Я никуда не ездила. На чем?

— На машине.

— Скажете тоже! У меня и прав-то нету, чтобы взять машину. Так что я просто гуляла. Ясно вам?

— Угу, — неопределенно пробормотала Инна, причем по ее виду никак нельзя было сказать, удовлетворена она ответом Нюши или у нее остались какие-то вопросы к девушке.

Когда Нюша ушла к дому, Алена повернула к подруге и мужу сияющее лицо.

— Нюши просто не было в комнате! — воскликнула она. — Она ничего не слышала из моих слов. И она совсем не сердится на меня!

Василий Петрович лишь крякнул и сел в машину. А Инга с Аленой последовали за ним молча. Обратно они ехали в тишине. Каждый думал о своем, так что общий разговор не клеился совершенно. И лишь перед самым подъездом к своему дому Василий Петрович произнес:

— Бедный Ваня. Вот уж кому сегодня не позавидуешь, так это ему.

— Из-за того, что старушка скончалась у него в доме?

— Не только.

— А почему еще? — удивилась Инга.

— Ванька влюбился. Он ведь все эти годы по тебе сох, а как Нюша приехала, так его словно подменили.

— Это всем так видно?

— Не знаю, как кому, а мне видно.

Василий Петрович вновь уставился на дорогу. Но Инга, обрадовавшись, что у нее появилась возможность откровенного разговора, произнесла:

— Василий Петрович, а ты уверен, что эта девочка действительно племянница Вани?

Муж Алены крякнул, но все же ответил:

— Ваня именно так мне сказал.

— И ты не наводил дополнительных справок?

— Зачем? За безопасность у нас отвечает сам Ваня. Если сказал, что девчонка его осиротевшая племянница, значит, так оно и есть.

— А мне показалось, что между ними отношения куда глубже, нежнее и значительнее, чем просто между дядей и племянницей.

— В самом деле? Но это ведь его дело, правда?

Было видно, что разговор этот Василию Петровичу неприятен. Мужчина здорово смутился, даже покраснел.

— А ты как к этому относишься?

— Думаю, что Нюша не лучшая партия для Вани. Но лезть к ним со своими советами пока не буду.

— Смотри, как бы поздно потом не было, — предостерегла его Инга. — Вот забеременеет девчонка, тогда Ване все равно придется на ней жениться.

— Что?

Василий Петрович подскочил на сиденье так, что врезался головой в потолок.

— Забеременеет? От кого? От Вани?

— А что? Разве Ваня не мужчина?

— Инга, замолчи! — велел ей Василий Петрович.

Причем из красного его лицо внезапно сделалось бледным, почти белым. И было видно, что мысль о беременности Нюши приводит его в панику. Инга догадывалась, в чем тут дело. Или ей казалось, что она догадывается. Но подсознательно Василий Петрович надеялся, что все у них в Дубочках останется по-прежнему. Никаких новых персонажей. Нюша поступила в институт, значит, скоро она уедет из Дубочков. А Ваня вновь вернется к своим обязанностям, погрузившись в них с головой.

Василий Петрович не хотел терять своего друга. А ведь Нюше может показаться скучной жизнь в Дубочках. Будучи же беременной, она сможет легко уговорить Ваню уехать из имения.

— Ваня бы мне сказал, зайди у них дело так далеко.

Это было все, что сумел выдавить из себя Василий Петрович. И Инга решила, что лучше отложить этот разговор. А еще лучше будет поговорить с самой Нюшей. Сегодня для этого подходящего момента не представилось, но завтра дело другое, завтра можно будет попытаться и разговорить девушку на тему того, какие планы у нее относительно дяди Вани, которого девчонка запросто называла Ваней.

Лично же для себя Инга сделала отметку в памяти. Поведение Вани и Нюши выбивалось за рамки простой помощи осиротевшей племяннице. И поднявшись к себе в комнату, Инга принялась ломать голову над вопросом, как вывести эту завравшуюся парочку на чистую воду.

— Потому что если у них там что-то есть, то нечего перед людьми дядю и племянницу изображать.

Инга даже не знала, что именно сильней всего ее возмущает в этой ситуации. Она не нравилась ей, с какого боку ни подойди. В том, что Нюша никакая не племянница Ване, Инга была уверена почти на все сто процентов. Один-единственный жалкий процентик она оставляла на то, что Ваня сам по себе человек странный. К примеру, она сама никогда бы не стала вздыхать по какому-нибудь мужчине много лет подряд. Да-да. Нет — значит, нет. Страдать молча, как это делал Ваня, вздыхать и тосковать по недоступному идеалу и в то же время спать с другими женщинами — это не по ней. Ей важно любить именно того человека, с которым она делит постель, кров и стол.

Но теперь у Вани появилась Нюша. И вполне возможно, она отдаст или уже отдала Ване свое сердце.

«Рада я этому или нет?»

У Инги было двойственное отношение к происходящему. С одной стороны, здорово, что Ваня наконец-то остепенится. Ведь неопределенность в его личной жизни давно уже перестала быть предметом шуточек между подругами. Они просто свыклись с тем, что их друг, давно справивший пятидесятилетний юбилей, никогда не женится, а так и будет кочевать от одной случайной юбки к другой, еще более случайной, неизменно страдая по одной лишь Инге.

И вот теперь у Вани появился шанс полностью изменить свою жизнь. Влюбленный и счастливый, он не мог не понимать, что Нюша — это его последняя возможность стать женатым человеком, зажить счастливой семейной жизнью.

«Он в нее влюблен, это ясно. Но как быть с ней? Так ли сильно она его любит? И любит ли вообще?»

Инга была в этом совсем не уверена.

«Не обманет ли Нюша его чувств? Все-таки девчонке сегодня исполнилось лишь девятнадцать, а Ване уже хорошо за пятьдесят. Разница в возрасте между ними просто колоссальная».

Сомнения и тревога терзала Ингу. Она была готова отдать своего старого поклонника в чужие руки, но при условии, что это будут добрые и надежные руки. И что они — эти руки — будут хорошо обращаться с Ваней.

«Потому что он этого заслуживает. А если бы я хотела, чтобы он был несчастлив, то я и сама давно бы вышла за него замуж».

И уже засыпая, Инга твердо пообещала самой себе, что до своего возращения в город она должна сделать две вещи. Первое — найти злого шутника, сделавшего Алену такой истеричной и склонной к припадкам. И второе — она должна твердо убедиться в том, что Нюша — это та самая женщина, которую ждал Ваня всю свою жизнь. И только в том случае, если это так и никак иначе, Ваню можно отдавать этой юной глупышке.

Но пока кое-что в Нюше упорно настораживало Ингу. Она безуспешно твердила самой себе, что это говорит в ней ревность. Но чувство тревоги все равно не утихало. И причина тому имелась. Когда они с Аленой сегодня вечером, уже уезжая, хотели найти Нюшу, чтобы попрощаться с девушкой, то им это не удалось, как они ни старались.

Однако Нюша сама их нашла некоторое время спустя. Она сказала подругам, что ходила прогуляться и развеяться, что ей хотелось побыть в одиночестве, чтобы обдумать трагедию, случившуюся у нее на празднике. Вот только это не могло быть правдой. Потому что если Нюша и переоделась, сменила свое роскошное вечернее платье на куда более демократичную футболку поло и полотняные брючки, то сменить обувь ей то ли не пришло в голову, то ли не нашлось под рукой более подходящей обувки.

Да и выбраться из дома Нюша явно постаралась тайком.

Ведь если дверь в ее комнату была закрыта изнутри, значит, девчонка выпрыгнула в окно.

В принципе это было возможно. Но свои бальные туфли Нюша не сменила. А они были хоть и на низком каблучке, но зато сшиты из нежнейшей замши, по цвету напоминающей сливочное мороженое с каплей клубничного сока. Светло-розовые замшевые туфельки, усыпанные жемчугом, были ослепительно хороши, прибавить больше просто нечего. Но они нипочем не выдержали бы прогулки по окрестностям Ваниного дома.

«На них обязательно бы остались следы пыли и другой грязи. А они были новехонькие, как в тот момент, когда Нюша достала их из коробки».

Такое могло произойти, если бы Нюша провела в этих туфельках несколько часов на празднике. В доме было чисто. В саду все площадки и дорожки выложены плиткой, которая также тщательно вымыта перед приходом гостей. Но за воротами дома была обычная грунтовая дорога. И если бы Нюша погуляла по ней, то туфельки обязательно бы покрылись густым слоем пыли.

Значит, она либо никуда не ходила, забилась в уголок, поревела там, а потом пошла мириться. Либо... Либо ее кто-то покатал на машине. Но до самого дома не поехал, высадил девчонку метров за сто, которые она и прошла, не успев толком запачкаться.

Но и то, и другое наталкивало на мысль о том, что Нюша далеко не всегда говорит одну только правду и ничего, кроме правды. И это последнее обстоятельство настораживало Ингу сильнее всего.

Одно дело — жениться на юной честной и чистой девушке, способной украсить собой жизнь пожилого мужчины или даже скрасить своим присутствием его последние минуты. И совсем другое — если достойный, хоть и немолодой уже, мужчина пойдет на поводу своих чувств и женится на молоденькой врушке. В этом случае остатку его жизни никак нельзя будет позавидовать. А Инге почему-то обязательно хотелось, чтобы Ваня был счастлив. Пусть она и не любила его так, как следовало бы, но она всегда сознавала, что Ваня хороший человек и достоин самого искреннего отношения.

И еще одно обстоятельство никак не давало Инге покоя. Нюша была совсем невелика ростом. Ванин же рост, наоборот, приближался к двум метрам. Однако Нюша все равно предпочла надеть туфли на низком каблуке. Почему? Инга долго ломала голову над этим, в общем-то, незначительным фактом, но так и не смогла придумать ему подходящего оправдания. А между тем туфли на каблуках для молодой девушки — это вещь совершенно незаменимая. Можно легко обойтись без нарядного платья или дорогой сумочки, но отказаться от туфелек на каблуках совершенно невозможно.

ГЛАВА 7

Инга думала об этих проклятых туфлях всю ночь. И даже за завтраком тоже думала. И поедая овсянку, которая была неизменной составляющей любого завтрака в доме Василия Петровича, Инга так глубоко задумалась, что даже произнесла вслух:

— Разве что она хотела, чтобы Ваня смотрел на нее как на маленькую девочку.

— О чем ты говоришь? — удивилась Алена.

— Туфли. Туфли Нюши. Я всю ночь думала о них.

— И что с ними не так?

— Они были на низком каблуке.

Но Алена не усмотрела в этом факте ничего сверхъестественного.

— Ну и что? Может быть, у нее болят ноги. У меня, например, вот после вчерашнего ноги гудели всю ночь.

У Инги тоже побаливали икры, но она предпочла умолчать об этом факте. И лишь сказала:

— Но ты-то нацепила десятисантиметровые каблуки.

— В них было целых двенадцать сантиметров, — с удовольствием облизывая ложку из-под земляничного варенья, поправила ее Алена.

— Вот видишь. Даже мы с тобой предпочли каблуки. И я никак не могу найти причины, чтобы нормальная девятнадцатилетняя девушка надела вместо каблуков обувь на почти плоской подошве. Разве что из желания быть одного роста со своим мужчиной.

— Да, — тут же откликнулась Алена, — а помнишь нашу Таньку Федосееву? Угораздило же ее выйти замуж за парня, который был ниже ее на две головы!

Всю жизнь в результате протопала на плоской подошве.

— И на всех их супружеских фотографиях один из них обязательно сидит или лежит.

— Мне кажется, он вообще предпочитал рядом с ней не ходить.

— До машины бежал первым, всегда находил причину, чтобы так поступить. То ему мотор нужно прогреть, то лобовое стекло протереть, то багажник выгрузить.

— Больное самолюбие было у этого человека, — заключила Алена. — И я очень рада, что мой Василий Петрович не из таких.

— Ты вчера была выше его на целую голову, а ему хоть бы хны.

— Да, а кстати говоря, ты не заметила, что мой Вася...

Но договорить Алена не успела. В комнате появился хмурый Ваня, а следом за ним и Нюша.

— Вот, доставил вашу сотрудницу, уж вы не ругайте ее за опоздание.

— Ваня, да когда же я ее ругала?! — возмутилась Алена, даже вскакивая со своего места. — Ты что, с ума сошел?

— Я-то не сошел, — отозвался Ваня, как-то очень странно взглянув на Алену.

Та смутилась. А Ваня, явно не желая разговаривать с хозяйкой, сухо произнес:

— Где Василий Петрович?

— Он еще не вставал.

Ваня мотнул головой:

— Ну тогда я поеду.

— Подожди, Ваня, разве ты не хочешь его подождать? Он скоро спустится, мы вместе позавтракаем, вы поговорите и...

— Благодарю, я уже позавтракал. Нюша приготовила блинчики с творогом, как я люблю, так что я сыт. И Василия Петровича ждать тоже не могу, дел полно. В город сегодня еду.

— В город? Слушай, Ваня, а ты не мог бы, раз уж едешь в город, зайти там в один магазин и купить для меня...

Но Алена договорить не успела. Ваня перебил ее. Безупречно вежливо, но сухо он произнес:

— Алена Игоревна, если вам надо, чтобы вас кто-нибудь отвез в город, то вы только прикажите. Лично выделю вам подходящего человека в шоферы и еще одного дам в охрану. А я у вашего супруга, разрешите вам напомнить, занимаю пост начальника охраны. И мне по магазинам ходить сегодня будет недосуг.

Разумеется, все это было так и все это было правильно. Но прежде Ваня никогда не отказывал своей хозяйке в таких мелочах. И даже напротив, зная, что поедет в город, всегда сообщал ей об этом, чтобы иметь возможность оказать Алене дополнительную любезность. Да, здорово изменилась жизнь в Дубочках, если уж Ваня откровенно отказывал своей обожаемой прежде хозяйке в такой мелочи.

Алена отвернулась, чтобы Ваня не заметил выражения ее лица. Но Инга видела, как глубоко задели слова мужчины ее подругу. Он же сам, то ли не замечая, то ли не желая замечать произведенного его словами эффекта, сухо попрощался и вышел из комнаты.

— Ваня! — услышали подруги почти сразу за этим голосок Нюши. — Счастливой тебе дороги!

И голос Вани, теплый и нежный, ответил ей:

— Спасибо тебе, моя хорошая. До встречи.

Замершие в столовой подруги переглянулись:

— Он с ней спит.

— Нет, думаю, что не спит, но очень этого хочет.

Между тем раздались звуки поцелуев, впрочем, вполне целомудренных — в щеку, подобающих отношениям дяди и племянницы. В этом подруги убедились, когда выглянули на улицу. Наверное, краем глаза Ваня заметил появившихся в окне женщин, потому что быстро прервал церемонию прощания, помахал Нюше рукой и сел в свою машину.

Подруги долго смотрели ему вслед. И лишь после того, как машина скрылась за поворотом, они вернулись к своим делам. В комнате появилась Нюша. Она начала убирать со стола, хотя это была вовсе не ее обязанность. Движения девушки были медленными и какими-то заторможенными. Да и двигалась она так неловко, что очень скоро уронила на пол металлический поднос, который оглушительно зазвенел.

— Простите меня! — чуть не расплакалась Нюша. — Я такая неловкая!

— Ерунда. Ты просто еще не пришла в себя после вчерашнего.

— Наверное, вы правы, — вздохнула Нюша. — Мне еще никогда не доводилось видеть мертвых людей.

— А как же твои родители? Они же ведь умерли, мне так сказали.

— Родители?

Нюша выглядела растерявшейся.

— Ну да, родители у меня умерли. Но я не видела их мертвыми. Только на кладбище.

— А как это вообще случилось? Они у тебя болели?

— Да. Немного, — уклончиво отозвалась Нюша. — Ну то есть как все.

— А умерли от чего?

— Ну... они... Можно я не буду отвечать на ваш вопрос? Мне тяжело вспоминать об этой трагедии.

— Конечно, если не хочешь, то не говори, — смутилась и сама Инга.

Она еще успела подумать о том, не зашла ли она слишком далеко в своем порыве найти виновного во всем происходящем в последнее время в Дубочках, как внезапно за окном что-то громыхнуло.

— Что еще такое? — вздрогнула Алена.

Они с Ингой подбежали к окну, чтобы посмотреть, что же такое грохнуло неподалеку от них. Но увидели лишь густой столб дыма, поднимавшийся на горизонте.

— Что-то горит, — озабоченно произнесла Инга.

— И люди кричат.

Действительно, теперь слышны были человеческие крики, доносящиеся как раз с той стороны, где прогремел взрыв.

— Вася! — закричала Алена на весь дом. — Вася, скорей сюда! Там что-то случилось!

Василий Петрович появился спустя всего минуту. Пронесся через холл, велев женщинам:

— Сидите дома!

Но его никто не послушался. Ни Инга, ни Нюша, ни тем более Алена.

— Как бы не так!

— Не на тех напал!

Нюша ничего не произнесла. Но глаза девушки были сами по себе достаточно выразительны. Ее трясло, как осиновый листок. И когда все трое забились в машину Василия Петровича, Инга не могла не заметить этого.

— Ты чего? — спросила она у горничной. — Чего ты так дрожишь?

Нюша прошептала. И Инга онемела, услышав ответ горничной:

— Это в той стороне, куда поехал Ваня. Это может быть его машина.

Но Василий Петрович, тоже услышавший слова Нюши, прикрикнул на девушку:

— Помолчи! Ванька не мог пострадать.

— Он как раз туда поехал.

— Ванька и не из таких переделок выкручивался. Все с ним будет в порядке, вот увидишь.

Однако столб дыма, поднимавшийся к небу, был такого угрожающе мрачного черного цвета, что у всех друзей на сердце стало тяжело-тяжело, как бывает всегда, когда несчастье уже свершилось и последствия его неотвратимы.

— Хоть бы это была не его машина, — шептала Нюша, как заклинание. — Хоть бы не его!

Ингу злил ее шепот, хотя она и понимала — девочка ведет себя совершенно естественно. А с другой стороны сидела Алена и бормотала свою мантру:

— Уверена, с Ваней все будет в порядке.

Народу на дороге становилось все больше. Василий Петрович опустил стекло и крикнул:

— Что случилось?

Но бегущие к месту происшествия люди еще этого не знали. И лишь к тому моменту, когда они доехали до здания транспортного цеха, где находилась вся посевная, уборочная и прочая техника, имевшаяся в автопарке хозяйства Василия Петровича, всем стала ясна причина трагедии. Остатки машины, врезавшейся на всем ходу в стену, возле которой были сложены бочки с горючим, медленно догорали. Несмотря на то что люди подоспели быстро и постарались сбить пламя, оно успело превратить машину в обгорелый остов, торчащий на свет черными ребрами.

Люди с пустыми ведрами и огнетушителями шептались между собой:

— Небось сразу же помер.

— Хорошо, кабы так. А то мой свояк в ремне безопасности запутался да живым и сгорел.

— В огне и дыму задохнуться — хуже смерти и не придумаешь.

Инга дотронулась до руки Алены.

— Послушай, неужели это и впрямь Ванина машина? — прошептала она.

Алена молча кивнула в ответ.

— Так что же... — растерялась Инга, до которой мало-помалу стал доходить смысл услышанных реплик. — А за рулем кто был? Ваня?

— Да. Мы же с тобой сами видели, как он садился в машину.

— Выходит, это наш Ваня погиб в огне?

Алена снова молча кивнула. На нее, всегда такую оживленную и говорливую, словно бы напал столбняк. Она стояла, глядела на дымящиеся остатки машины и молчала. Зато Нюша молчать не стала.

Она издала дикий вопль и кинулась к машине:

— Ваня! Ванечка!

— Держите девчонку! — встрепенулся кто-то из местных. — Огонь еще до конца не потушен!

Но перехватил рвущуюся к остаткам догорающей машины Нюшу не кто-нибудь, а сам Василий Петрович. Именно он прижимал голову рыдающей девушки к своему плечу и по-отечески гладил ее по волосам.

— Ничего, ничего, все пройдет, доченька.

Но Нюша не слушала его.

— Нет, я не верю! — закричала она, вновь вырываясь. — Это не может быть правдой! Только не он! Только не Ваня!

Инга тоже попыталась утешить Нюшу. Василий Петрович отдавал распоряжения. Одна лишь Алена стояла не шевелясь. Но именно она первой увидела полицейскую машину, приближающуюся к ним.

— Вот и полиция сюда едет, — произнесла она не без удивления. — Как быстро! Интересно, кто их вызвал?

Но оказалось, что полицию никто не вызывал. Более того, вышедший из машины полицейский был и сам явно удивлен зрелищем сгоревшей машины.

— Что это у вас тут еще приключилось? — спросил он, причем тон, которым он задал свой вопрос, ничего хорошего присутствующим не обещал.

Однако обитатели Дубочков, участвующие в тушении пожара, были слишком взволнованны, чтобы обращать внимание на такие мелочи. Они увидели полицейского и кинулись наперебой объяснять:

— Машина в аварию угодила.

— Управление потеряла.

Из полицейской машины вышел еще один человек. Это был симпатичный мужчина в штатском. Однако он встал рядом с полицейским, словно бы так и полагалось ему стоять. А свидетели трагедии продолжали свой сумбурный рассказ:

— Мы все видели, как машина с холма неслась.

— Вообще без тормозов!

— А потом — бум!

— И взрыв!

— И дым!

— Пламя!

— Сколько тут бочек лежало, все вспыхнули!

— Пока мы прибежали, все уже сгорело. И машина, и шофер.

Однако полицейский был явно опытным человеком, он не дрогнул и лишь спросил у людей:

— Кто именно пострадал? Вы его знаете?

Василий Петрович шагнул вперед.

— За рулем был мой начальник охраны.

— Это в доме которого вчера был праздник?

— Да, у его родственницы был день рождения.

— И сегодня этот человек мертв?

Василий Петрович не ответил. И впервые Инга увидела, как на глазах ее старого друга наворачиваются слезы.

— Надо извлечь останки, — глухо произнес он. — Как только машина остынет, надо немедленно достать Ваню.

С этими словами он повернулся, чтобы уйти прочь. Полицейский попытался его остановить, но Василий Петрович произнес лишь несколько слов, и тот отошел от него. Сам Василий Петрович сел в машину и уехал. Никто не посмел остановить хозяина Дубочков, которому пришла пора скорбеть по своему давнему и верному другу, оставившему его отныне в этом мире без своей поддержки.

Инга осталась рядом с окаменевшей Аленой. Именно Инге передал Василий Петрович рыдающую Нюшу. И почему-то именно к ней обратился мужчина в штатском, прибывший на полицейской машине. Узнав, что Инга является старой подругой жены хозяина имения, мужчина, видимо, решил, что она достаточно информирована, чтобы побеседовать с ней. Он заставил передать Нюшу на руки Алене, а сам отвел Ингу в сторонку и заговорил с ней очень задушевно и в то же время серьезно:

— Вижу, вы тут единственная, кто способен нормально разговаривать. Разрешите задать вам несколько вопросов? Я буду заниматься расследованием, поэтому мне это необходимо.

— Хорошо.

Наверное, Инга бы не согласилась так легко, но мужчина был очень мил и прекрасно воспитан. Да и внешне он выглядел привлекательно. Изящного телосложения блондин, с блестящими голубыми глазами. У него была славная нежная и в то же время немного лукавая улыбка. Почему бы и не поговорить с таким обаятельным человеком?

— Вы лично не знали пострадавшего?

— Почему не знала? Знала, конечно.

— Он любил выпить?

— За рулем никогда! — твердо произнесла Инга. — К тому же мы виделись с ним буквально за несколько минут до трагедии. Он был трезв как стеклышко!

— Некоторым и куда меньше времени хватает, чтобы нализаться в хлам.

— Только не Ване! И потом, он ведь собирался ехать в город. У него там дела какие-то были.

— Дела? — заинтересовался тот, кого Инга считала полицейским в штатском. — Вы не знаете, какие дела?

— Понятия не имею. Наверное, об этом вам будет лучше спросить у Василия Петровича. Он — хозяин тут всему и всем. Он должен знать, зачем Ваня мог ехать в город.

— Спрошу, обязательно спрошу, — пообещал ей полицейский. — Но сейчас у меня разговор к вам. Скажите, раз вы близки с вашей подругой и ее мужем, наверное, вы слышали про праздник в доме начальника охраны имения?

— Что значит слышала? Я там присутствовала лично.

— Это просто замечательно! — обрадовался полицейский. — Расскажите мне о том, что там было!

Инга с недоумением взглянула на этого товарища. Он не был похож на простого сельского полицейского. В его манерах Инга не могла усмотреть ни капли развязности, или грубости, или даже намека на плохое воспитание. Речь его была грамотной, как у выпускника престижного вуза. И еще была одна странность: несмотря на то, что этот человек приехал в полицейской машине, сам он не был одет в форму. Вместо этого на нем красовался безупречный шелковый костюм, совсем неуместный в деревне.

— И по какой причине вы интересуетесь праздником в доме Вани? — додумалась наконец спросить у него Инга.

Полицейский ответил ей не сразу.

— Вначале разрешите мне вам представиться.

— Вообще-то с этого и надо было начать.

— Согласен. Моя ошибка. Хоть и нелегко мне такое про себя говорить, но вы выбили меня из колеи.

— Я?

— Все вы тут. Я ехал, чтобы разобраться в одном убийстве, а наткнулся на следующее. Что у вас здесь происходит? Меня уверяли, что Дубочки — это чрезвычайно спокойное и благополучное место.

— И это чистая правда! — кинулась в защиту поместья Инга. — Мои друзья живут тут и... Постойте, о каком убийстве вы говорите? Кого еще убили?

— Давайте начнем все сначала, — перебил ее мужчина. — Как вас зовут?

Инга представилась.

— А я Игорь.

— Как?

— Игорь, а что?

Инга помотала головой. Везет ей в последнее время на Игорей. И тут же она вспомнила о своем любимом Залесном, которого она без всякой жалости оставила дожидаться ее дома. Нет, ну как без жалости? Сначала она в течение всей весны и доброй половины лета пыталась выманить Залесного хоть куда-нибудь за город, а когда в кои-то веки они выехали, Залесного тут же покусали осы, терпение Инги дало трещину.

— Если я не отдохну нормально хотя бы пару недель, то до следующего сезона могу уже и не дотянуть, — сказала она Залесному, как только немного поджили его укусы и он перестал походить на распухший массажный мячик. — Я поеду к Алене, тем более что она очень сильно меня об этом просит.

— Конечно, поезжай, — согласился Залесный с овечьей покорностью. — Только скажи сначала, дорогая, где у нас все-таки стоит но-шпа? Мне кажется, что у меня начинает колоть печень.

Но Инга не поддалась на его обычный шантаж. Не помогли Залесному удержать при себе Ингу также колики в почках, обострившийся остеохондроз, боль в пояснице, крестце и жесткий артрит в коленях. Жестокая Инга все равно уехала и вот теперь, вспомнив, что оставила Залесного одного наедине с обострившимися недугами, ощутила мгновенный укол совести. Впрочем, укол был совсем слабым, потому что болезни Залесного по большей их части были мнимыми, а вот проблемы у Алены и ее мужа казались вполне реальными.

— Могу я говорить с вами совершенно откровенно? — допытывался между тем у Инги ее очередной знакомый Игорь. — Дело в том, что я в некотором роде не совсем полицейский. Даже совсем не полицейский.

— Но вы сказали, что будете заниматься расследованием. И вы приехали на полицейской машине.

— На машине? Ах, это чистая любезность здешних полицейских. Я попросил, они предоставили мне машину.

— Здорово у вас это получается, — откровенно восхитилась Инга, думая, что если бы она попросила полицейских о чем-то таком, то наверняка получила бы отказ.

И она тут же подумала, что этот Игорь очень ловкий пройдоха. Но обаятельный пройдоха, ну просто до чертиков.

— Видите ли, по образованию я юрист, — продолжал очаровательно улыбаться Игорь. — А этим делом меня вынудила заняться личная просьба Виктора Андреевича. Собственно говоря, он же договорился и со здешними полицейскими о том, что они окажут мне всяческую помощь и содействие.

— Вы знаете Виктора Андреевича?

— В свое время старик многим помог мне, пришел мой черед отблагодарить его. Да и Марию Петровну мне очень жаль. Она была очень хорошим человеком и совсем не заслужила своей участи.

— Вы на что намекаете?

— Открою вам тайну. Дело в том, что готовы результаты экспертизы, и заключение звучит следующим образом. В крови Марии Петровны найдено опасное для жизни человека некое органическое вещество. К тому же это вещество — галлюциноген. То есть оно способно вызывать при определенной дозировке сильные галлюцинации.

— Что? И вы хотите сказать, что старушку отравили?

— Официальный диагноз звучит вполне безобидно для преступника — обширный инфаркт. Вроде бы расследовать тут и нечего. И конечно, официальное расследование предпочтет удовлетвориться этим диагнозом. Но только не Виктор Андреевич.

— Значит, старик не верит в инфаркт.

— Он считает, что инфаркт был спровоцирован.

— И он хочет знать, кто отравил его жену?

— Мария Петровна приняла галлюциноген, который и спровоцировал ее приступ, вместе со своим шампанским. Однако я не понимаю, как наркотик мог попасть к ней в вино. Виктор Андреевич говорит, что шампанское пили вы все.

— Верно, в самом начале праздника рядом с Нюшей, которая встречала гостей лично, стоял поднос с уже наполненными бокалами. Все гости брали себе по одному, и никто не мог заранее сказать, на какой бокал падет выбор того или иного гостя. Так что это какая-то загадка и...

Инга замолчала, вспомнив почему-то именно в этот момент, что, хоть все гости и брали шампанское сами, для одной Алены было сделано исключение. Приветствовав свою хозяйку и поблагодарив ее за букет, Нюша протянула Алене бокал с шампанским. Алена взяла его, отпила глоток, а затем неторопливо проследовала дальше. Инге и Василию Петровичу бокалы подал официант. Он как раз откупорил новую бутылку. Так что Инге и Василию Петровичу достались бокалы с еще белой пеной.

Почему Инга сейчас вспомнила именно этот эпизод, она сказать не могла.

— И наверное, Мария Петровна поступила так же, как все прочие гости. Сама взяла с подноса первый попавшийся бокал, — произнесла женщина.

В этот момент к ним присоединились Алена с Нюшей. Обе женщины увидели, что Инга о чем-то увлеченно болтает с симпатичным блондином, и подошли поближе. Выслушав вопрос Игоря, Алена кивнула головой:

— Да, я даже помню, когда мы встретились с ней и Виктором Андреевичем в доме, она как раз сняла бокал с камина, куда перед этим, должно быть, его поставила. Сказала, что шампанское изумительное, пошутила, что ей казалось, будто бы она выпила куда больше, а вино, похоже, обладает волшебным свойством вновь наполнять собой пустую посуду, и для подтверждения своей теории выпила его до конца, а потом посмотрела на дно, словно ожидая, что бокал и впрямь снова наполнится. Понимаю, у меня это при рассказе прозвучало совсем не смешно, но когда это все проделала Мария Петровна, мы все засмеялись.

— Да, узнаю милую Марию Петровну, — с грустью кивнул Игорь. — Она всегда умела пустячной репликой поднять настроение. Бывало, уходил от них и до самого вечера то и дело принимался хохотать над какой-то ее остротой.

— Но фокус был в том, что она взяла с каминной полки не свой бокал. Ее был почти пуст. А она взяла почти еще полный.

— И чей же это был бокал?

— Это я сказать затрудняюсь. Многие ставили на каминную полку свои бокалы. Я сама и Василий Петрович тоже были в числе прочих.

— Значит, Мария Петровна могла допить чужой бокал? — спросила Инга.

— Запросто.

— Но не факт, что туда был подмешан наркотик?

— Точный ответ могла бы дать только экспертиза этого бокала.

— Об этом нечего и думать, — покачала головой Нюша. — Все бокалы давно вымыты, их увезли с собой официанты.

И, смутившись, девушка пробормотала:

— Простите, мы же не знали, что это важно. Хотелось навести в доме чистоту побыстрее.

Игорь кинул на Нюшу сердитый взгляд. Кажется, он все же винил ее в излишней аккуратности. И взяв Ингу под руку, Игорь вновь отвел ее в сторону от двух других женщин.

— Так вот, у вас есть какие-то мысли на этот счет? Возможно, это было лишь шуткой, которая рассчитывалась на другого, но она закончилась трагедией для Марии Петровны.

— Если уж говорить о шутках, то завещание, которое старики оформили, было весьма скверной их шуткой. Оно заставила Севу и Вову засуетиться.

— О чем вы говорите? Какое завещание?

— Сева и Вова... вы их тоже знаете?

— Разумеется. Сева — это мой двоюродный брат. А Вова — сын Марии Петровны.

— Постойте, выходит, вы племянник Виктора Андреевича? И юрист?

— Адвокат по уголовным делам.

— Ну, теперь я понимаю, почему ваш дядя обратился к вам за помощью.

— Но вы упомянули имя Севы.

— И Вовы тоже.

Инга рассказала симпатичному ей Игорю о том разговоре ночью в саду, который ей довелось подслушать. И который, как знать, возможно, привел к смерти Марии Петровны. Ведь Сева мог и нарушить договор, заключенный им с Вовой. Игорь слушал рассказчицу очень внимательно. И когда Инга закончила, заявил:

— Сева — гнусный хорек. Я ничуть не удивлен тем, что он так засуетился из-за денег. Да и Вова, насколько я успел его узнать, тоже особыми моральными качествами не блещет. От него может исходить опасность.

— Но если пострадала Мария Петровна, значит, виноват Сева.

— Согласен. И даже скажу более того: такой расклад вполне укладывается в то, что я знаю о своем братце. Ударить ножом или даже выстрелить он бы никогда в жизни не решился, для этого он слишком трусоват. А вот подсыпать какой-то дряни в бокал — это очень даже запросто.

— Сева с Вовой тоже были на празднике, — продолжала докладывать Инга. — И конечно, у Севы было время, чтобы подсыпать Марии Петровне наркотик в ее вино. Улучить подходящую минуту не составило бы особого труда.

— Невероятно, что мы с вами обсуждаем моего двоюродного брата! Мой отец и дядя Витя были родными братьями. И когда мой отец умер, дядя брал меня к себе на все выходные. Так что я имел возможность хорошо узнать Севу.

— А чем он занимается?

Инга имела в виду, чем занимается Сева в свободное время, какие у него в жизни интересы. Но Игорь понял ее вопрос по-своему и ответил:

— По большей части ничем. Нет, сидит в какой-то конторе, я даже не спрашивал никогда, в какой именно, но ни денег, ни почета, ни личного удовлетворения работа ему не дает.

В голове у Инги мелькнула мысль, что довольно странно слышать такое от кузена Севы. Вот она совсем посторонний Севе человек, но и то уже знает, что он по образованию архитектор-проектировщик и что работает он по своей специальности. Впрочем, Инга тут же попыталась оправдать своего знакомого, Игорь, наверное, имеет в виду, что высот в своей карьере Сева не достиг. А стало быть, чем бы он ни занимался, это не имеет большого значения.

И вслух она произнесла то, что, считала, может понравиться Игорю:

— Как странно, вы вполне преуспеваете. А ваш брат — пустое место.

— С самого начала жизни у него было все то, чего не было у меня. Заботливый отец, дом — полная чаша. А у меня была только моя мама, надрывающаяся на двух работах, чтобы иметь возможность прилично кормить и одевать меня. Впрочем, надо отдать должное и дяде; как только я заикнулся ему, что собираюсь идти работать, чтобы помогать матери, а учиться пойду на вечернее или заочное, он тут же запретил мне это делать. Причем высказался необычайно резко и даже грубо для него. А потом он приехал к нам и долго кричал на мою мать, упрекая ее в чрезмерной щепетильности. Оказывается, дядя постоянно предлагал ей деньги, но мама неизменно отказывалась, не желая быть у него в долгу. Дядя Витя ужасно орал на нее. До сих пор помню, как он резко говорил с ней. «Если ты хочешь, — сказал он, — погубить себя — это твое дело, ты взрослый человек и знаешь, что делаешь. Но не надейся, что я позволю тебе поступить так же и с мальчиком. Он прекрасно учится, у него ясный ум, его ждет большое будущее. Он будет приносить людям не маленькую, а очень большую пользу. И даже если он унаследовал бескорыстие от тебя, он все равно не останется без своего бутерброда с икрой». И вот благодаря дяде и его вовремя прорезавшемуся красноречию я избежал работы на машинной мойке, куда я уже совсем было собрался и даже договорился о начале своей трудовой вахты.

Инга чувствовала: Игорь неспроста делится с ней сокровенным содержимым своей души. Он не стал бы выкладывать все это перед первой встречной. И этот подробный рассказ о детстве говорит о том, что Игорь также чувствует в Инге родственную душу. От этой мысли ей стало даже как-то жарко. Но увы, рыдания Нюши, которая вновь ударилась в истерику, вернули ее с небес на землю.

Игорь тоже обернулся в сторону девушки. И взгляд его вновь стал деловым и жестким.

— Так, забудем пока о том, что случилось вчера вечером в доме погибшего, — произнес он. — Как произошла авария? У вас есть версии на этот счет?

— Я не представляю, — откровенно призналась ему Инга. — У Вани был огромный опыт вождения. А уж здешние дороги он знал как свои пять пальцев.

— Может быть, за рулем был не он?

— Как не он? Он собирался в город, заехал к нам, чтобы забросить Нюшу в усадьбу, и...

— Нюша — это его родственница, чей день рождения и стал для Марии Петровны роковым?

— Ну да. Вон же она ревет.

Игорь еще раз взглянул в сторону Алены с Нюшей. Но Инга не заметила в его взгляде интереса.

— Но что девчонке понадобилось сегодня утром у вас в усадьбе?

— Нюша работает личной горничной Алены.

— Вашей подруги, у которой вы в гостях?

— Да.

— А с покойным начальником охраны у вас тоже что-то было?

На какое-то мгновение Инга даже задохнулась от смущения. Откуда он знает?

— Кто вам сказал?

— Успокойтесь, — улыбнулся Игорь, — я всего лишь высказал свое предположение. Мне кажется, что ни один мужчина просто не в состоянии спокойно пройти мимо ваших глаз, вашей улыбки... Ваш голос чарует всех мужчин без разбора. Чтобы избежать ваших чар, нужно либо быть безоглядно влюбленным в другую женщину, либо быть просто чурбаком.

— У нас с Ваней не было ничего серьезного. А уж с тех пор, как в Дубочках появилась эта Нюша...

В голосе Инги помимо ее воли прозвучала скрытая неприязнь. Хоть ты тресни, она все равно ревновала Алену к ее горничной, занявшей в жизни ее подруги такое большое место. Куда большее, как с грустью констатировала Инга, чем занимала там теперь она сама. Но это и неудивительно, ведь Инга виделась с Аленой всего несколько дней, в лучшем случае недель в году. И скрывать это было бесполезно, да и не нужно.

И внезапно осененная идеей, Инга воскликнула:

— Послушайте, Игорь, я вам хоть немного помогла?

— Да, думаю, что да.

— И еще помогу! — горячо заверила его Инга. — Я вам еще много раз пригожусь, только выполните одну мою просьбу!

— Это какую же? Надеюсь, что ничего серьезного, потому что...

— Нет, нет, для вас это сущие пустяки.

— Ох, Инга, как же вас легко провести. Да, конечно, я выполню любую вашу просьбу, какой бы дикой и безумной она ни казалась. Чего вы хотите? Луну с неба?

— Нет, Луна мне без надобности. А вот не могли бы вы отдать на экспертизу одну вещь?

— Что за вещь?

— Клок шерсти. Надо установить, какому животному принадлежит эта шерсть. Сможете?

— Думаю, что да.

— И еще одно... Не могли бы вы по своим адвокатским каналам навести справки про Нюшу?

— Зачем? — удивился Игорь. — Чем вам девчонка не угодила?

— Мне кажется, что она не та, за кого себя выдает, — призналась Инга.

И она с лихвой была вознаграждена за свою откровенность восхищенным взглядом Игоря.

— И в чем же вы ее подозреваете?

— Мне кажется, что Нюша никакая не племянница, а любовница Вани.

— Ну это еще не преступление.

Инге показалось, что в голосе Игоря послышалось облегчение. И она, понизив голос, загадочно произнесла:

— Если только... если только он не оставил в ее пользу завещания.

— Снова завещание! — воскликнул Игорь. — Как же это пошло, если бы вы только знали! Люди постоянно гибнут за презренный металл. А где благородная ярость, прежде приводившая к смертоубийственным стычкам? Где желание защитить прекрасную даму, погибнуть самому, но возвеличить в веках имя возлюбленной? Где, наконец спрашиваю я вас, хорошо и густо замешанная на лжи во спасение смерть невинных агнцев? Нет ныне таких смертей. Теперь люди убивают исключительно ради одной цели — поживиться за счет смерти своих близких. Мне иногда кажется, что человечество утрачивает человеческие черты и все больше и больше становится стаей этаких падальщиков.

Инга не очень-то поняла его рассуждения, особенно ту их часть, что про невинных агнцев. Но она почувствовала, что Игоря терзает горечь, и сочла необходимым немного его утешить.

— Не нужно так мрачно смотреть на жизнь, — посоветовала она ему. — Да и вообще, не все ли равно, ради чего убивают? Убийство людей нехорошо уже само по себе.

— Вы так считаете? А я вот думаю, что хорошая война, способная унести легионы грешников и оставить в живых всего лишь пару-тройку праведников, могла бы здорово облегчить бремя нашей земли.

— Это жестоко — так говорить.

— Но такое ведь уже случалось в истории человечества, — пожал плечами Игорь. — И далеко не один раз, я уверен в этом. Цивилизации и куда более могущественные нашей исчезали с лица Земли, словно бы их и не было тут никогда.

— Ну этого никто не может знать точно.

Инга уже начинала тяготиться этим отвлеченным разговором. В другой раз она бы с удовольствием поболтала, но не сейчас, когда за ее спиной всего в нескольких десятках шагов еще дымились Ванины останки. А рядом с остывающей машиной навзрыд рыдала Нюша — то ли его племянница, то ли невеста, то ли вообще непонятно кто.

И этот вопрос волновал Ингу куда больше, чем самые невероятные идеи, обитавшие в голове у Игоря. Видимо, он и сам это тоже понял, потому что кивнул Инге, показывая, что их разговор еще будет продолжен, и, вновь взяв ее под руку, повел назад, к остальным.

ГЛАВА 8

Извлечь останки погибшего водителя из изуродованной машины удалось только после приезда специальной техники.

— Машину-то как покорежило.

— На всем ходу, видать, в ограждение врезался.

— И как он только так?

— Небось заснул за рулем.

— Или сознание на мгновение потерял.

И одного мгновения, когда машина неслась на скорости около ста километров, достаточно оказалось для того, чтобы Ваня разбился насмерть.

— Какое горе...

— Такой хороший мужик.

— И не старый еще совсем.

— Ему бы еще жить да жить!

— И как только его угораздило?

Вот этот-то вопрос и волновал всех. Действительно — как? Как получилось, что Ваня, который, должно быть, родился с баранкой руля в руках, умудрился погибнуть на дороге, которую к тому же знал как свои пять пальцев? Да еще при свете дня, трезвый и находящийся в относительно ровном настроении.

— Нельзя сказать, чтобы он уехал от нас во взвинченных чувствах. Конечно, со мной он поговорил холодно, но держал себя при этом в руках.

— Да и ты сдержалась, ничего ему не ответила.

И еще один вопрос волновал Ингу. Не оставляла ли ее подруга свой бокал с шампанским без присмотра? И вообще, какова была его судьба после того, как Алена прошла с ним к остальным гостям? Сразу она выпила все вино или оставила какую-то часть на потом?

Инга стремилась задать эти вопросы Алене и задала, как только застала подругу в одиночестве.

— Бокал? — удивилась Алена. — Мой бокал с шампанским? Право, какие пустяки тебя теперь заботят!

— Но ты помнишь, куда ты его дела?

— Да не помню я. Кажется, отпила глоток, и все.

— Что — все?

— Поставила его сначала на подоконник, а потом уже окончательно пристроила на каминной полке.

— И он был... в нем еще что-то оставалось?

— Бокал был почти полный. Шампанское показалось мне невкусным. Я с трудом сделала один глоток, а потом поставила его на каминную полку.

— Что?!

— Да, там у Вани есть чудовищных размеров камин, — кивнула Алена. — Не помню, чтобы он зажигал в нем огонь хоть один раз в жизни, мне кажется, камин служит исключительно для декоративных целей. Но полка на нем огромная. И свой бокал я легко там пристроила.

Инга была просто поражена тем, насколько точно попала ее догадка в цель, и причем с самого первого раза.

— Значит, ты оставила свой почти что полный бокал на каминной полке?

— Да, все так делали. Я заметила, что там стоят еще несколько бокалов. Сама поставила свой рядом с чьим-то уже полупустым. И дальше еще много чьих-то бокалов стояло. Некоторые были пустые, некоторые с вином.

Очень может быть, что тот бокал, соседом которого стало Аленино шампанское, и оказался тем сосудом, который поставила туда за минуту до этого бедная Мария Петровна.

— Наркотик подсыпали тебе! Мария Петровна стала случайной жертвой!

Алена не допила отравленное шампанское и поэтому осталась цела и невредима. Все обошлось лишь коротким приступом, который почти что удалось купировать. Алена лишь пару минут изображала из себя змею, а потом потихоньку вернулась в нормальное состояние. А вот Марии Петровне повезло меньше. Оказавшись в одиночестве наедине с монстрами, обступавшими ее со всех сторон, или же сама превратившись в какое-то чудище, или попав в другое измерение и реальность, она сильно испугалась. Так сильно, что ее изношенное временем сердце сделало слишком ощутимый скачок, постаревший механизм не выдержал, и случилось то, что случилось. Мария Петровна скончалась.

Но хотя Алена и знала о подробном разговоре, который состоялся у Инги с Игорем — родственником покойницы, как знала она и о том, что в крови погибшей старушки нашли львиную долю галлюциногена, способного надолго вывести из строя и куда более крепкий организм, никак не связывала это со смертью Вани. А именно она сейчас волновала ее сильнее всего.

И поэтому, когда Инга вновь заикнулась про бокал с шампанским, Алена довольно раздраженно прикрикнула на подругу:

— Какое это может иметь значение сейчас? Ваня разбился насмерть, а ты носишься с каким-то дурацким шампанским!

Инга попыталась объяснить, что у нее есть на то причины, но Алена не захотела ее слушать. К ним вернулся Василий Петрович, который сумел обуздать свое горе в одиночестве и теперь мог вновь принять на себя бразды правления. И Алена тут же кинулась к мужу.

— Вася, скажи: что делать? Как мы теперь будем без Вани?

Но Василий Петрович повел себя странно. Он высвободился из объятий жены и совсем неласково сказал ей:

— Веди себя достойно. Хотя бы на людях сделай вид, что Ваня был дорог тебе сам по себе, а не только как хороший слуга.

Алена оторопела. А Василий Петрович прямым ходом направился к Нюше, которая до сих пор рыдала.

— Мужайся, девочка, — произнес Василий Петрович дрогнувшим голосом. — Вижу, что ты скорбишь по Ване неподдельно, спасибо тебе за твои слезы. И помни, я тебя не брошу, помогу тебе всем, чем смогу.

— Василий Петрович! — кинулась к нему Нюша. — Вы самый благородный человек на свете!

— Да ладно, будет тебе.

— Только...

— Что?

— Как же мы теперь будем жить без нашего Вани?

Буквально минуту назад этот же вопрос задала Василию Петровичу его жена, но тогда он грубо отмахнулся от нее, а сейчас обнял Нюшу за плечи еще крепче и твердо произнес:

— Будет трудно, но мы справимся. Вместе, ты и я.

— И Алена Игоревна?

— Что? А... да. И Алена Игоревна, если, конечно, она захочет.

Алена, слышавшая этот разговор, онемела от удивления и возмущения. Да и Инга со своей стороны могла сказать, что творилось нечто и вовсе странное. Василий Петрович всегда был ласков со своей женой, а тут он сознательно ее оскорблял. Или он все еще дуется на нее за вчерашнее представление со змеей?

Но ведь ясно, что Алена стала жертвой чьего-то злого умысла. Кто-то сознательно пытался отравить ее, добавил в ее бокал галлюциногенное средство. Однако заботливый ангел-хранитель уберег Алену от беды. Она сделала всего лишь один глоток из своего бокала и поставила его на каминную полку. И там он попал в руки другой женщины — любительницы шампанских вин. Бедная Мария Петровна допила вино, сама не подозревая, что взяла чужой бокал.

И все же, как ни хороша была эта версия, она еще требовала проверки. А для предъявления официальному следствию — еще и доказательств. Инга не оставляла также мысли о том, что отрава предназначалась самой Марии Петровне. А еще то, что раздобыть галлюциноген можно было на той самой фабрике Василия Петровича, где работала небезызвестная Марина и где производились эликсиры на основе трав, цветов и кореньев.

«Может, эта Марина и постаралась. Была она вчера на празднике или нет, неважно. Могла послать на дело и сообщника или... сообщницу».

Сила растений лишь в последнее время вновь стала оцениваться врачами по достоинству. И если древние врачеватели умело исцеляли настойками на травах, то сейчас последним отводится очень скромная ниша. Но Инга хорошо помнила тот эффект, который оказали на нее несколько пробных образцов, которые предложила ей Алена. В одном случае Инга даже увидела нечто вроде галлюцинаций.

«Если дозу увеличить или состав изменить, то Марина вполне могла заставить Алену почувствовать себя змеей, а Марию Петровну попросту свела в могилу».

Но кто бы кому бы и с какой бы целью ни подлил эту отраву, Инга не сомневалась: взять ее преступник мог лишь в одном-единственном месте. И место это находилось в самих Дубочках.

«Лаборатория — вот куда я должна сходить».

К этому времени специальная машина забрала останки Вани. А искореженный автомобиль погрузили на эвакуатор и тоже увезли. Теперь о том, что на этом месте произошла трагедия, напоминали лишь обуглившаяся трава, остатки рваной резины и другой мусор, раскиданный взрывом.

Василий Петрович повез Нюшу к себе домой, велев Алене следовать с ними и позаботиться о девушке. Но когда она предложила Инге тоже поехать, та отказалась.

— Я приеду, но чуть позднее. Сейчас у меня есть одно дело. Закончу его и вернусь.

И она едва заметно кивнула в сторону Игоря, ожидавшего ее в отдалении. Игорь уже пытался переговорить с Василием Петровичем, но тот лишь отмахнулся от него:

— Приходите, молодой человек, сегодня вечером к нам домой, там за ужином все спокойно и обсудим. А сейчас, простите, мне не до того!

Он уехал, забрав с собой обеих женщин. А Инга осталась рядом с Игорем.

— Сейчас мы с вами поедем в одно место, где, как я думаю, преступник мог раздобыть отраву.

— И куда нам предстоит направиться?

— Это тут... неподалеку. Фабрика по производству эликсиров, бальзамов и настоек на основе растительного сырья.

— Интересно. Та дрянь, которую выпила Мария Петровна, тоже была органикой.

— Вот именно. И мне сразу же пришла в голову мысль...

Тут Инга запнулась. Говорить о том, что некоторые подозревают Василия Петровича в нарушении супружеской верности, показалось ей преждевременным. Если это не так, то получится, что она трясет грязным бельем своих друзей перед совершенно посторонним им человеком. А если правда... нет, это просто не может оказаться правдой. Василий Петрович любит свою жену Алену, так было, есть и будет! И даже если между супругами в последнее время наметился разлад, Инга все равно не допустит, чтобы какая-то там шустрая дамочка вклинилась между этими двумя искренне любящими друг друга людьми.

— Мне подумалось, что я знаю одну особу, которая как раз и занимается сильнодействующими средствами.

— И как мы ее найдем?

— Она работает на фабрике, а зовут ее Марина.

— Марина, Марина... — забормотал Игорь. — Ну хорошо, а какие у вас основания, чтобы подозревать эту особу в отравлении?

— Дело в том...

Инга вновь осеклась. Как ни крути, а придется рассказать Игорю, что ее подругу кто-то планомерно и уже длительное время травит. Но если сказать это, то неизбежно выплывет и другой мусор. А Инге этого очень не хотелось. Репутация Василия Петровича и его жены должна быть в глазах окружающих безупречна. И поэтому она выложила лишь часть правды:

— Дело в том, что ходят слухи, будто у этой особы появились левые доходы.

— И так как она занимается сильнодействующими травами, — охотно подхватил Игорь эту идею, — значит, она может ими приторговывать.

— Так наведаемся же к этой особе!

— Хорошо. Но что мы ей скажем?

— Скажем?

Инга слегка растерялась. А действительно, что они могут сказать Марине? Ну расскажут они ей о случившейся в доме у Вани трагедии. Потом сообщат, что сам Ваня сегодня утром разбился насмерть. Так, наверное, Марина и сама уже об этом знает. Или скоро узнает. У слухов длинные ноги, а Дубочки совсем невелики, слухи тут распространяются невероятно быстро.

И что они скажут Марине дальше? Если женщина спросит, зачем они ей все это говорят, то какое у них будет оправдание для их визита?

И тут Игорь неожиданно предложил:

— Мне кажется, что будет лучше, если за этой женщиной мы с вами просто проследим.

— Как это?

— Обыкновенно. К примеру, я могу сказаться командированным и попроситься к ней на постой. Тогда уж Марина не сумеет скрыть от меня ничего из своих делишек.

Инга про себя лишь хмыкнула. Ну пусть попробует. Игоря ждет отказ, никакого сомнения. Если он попытается напроситься в квартиранты к Марине, она пошлет его подальше. Ведь к ней уже ходит Василий Петрович. И конечно, Марина не захочет упустить перспективного и постоянного любовника из-за какого-то сомнительного приезжего гастролера.

— Ну-ну, — пробормотала Инга, хитро улыбаясь в душе. — Но сначала нам обоим необходимо с этой Мариной познакомиться.

Поводом для встречи с Мариной стало состояние Нюши. Заговорщикам даже не пришлось ничего специально придумывать. Алена сама позвонила Инге и встревоженным голосом попросила ту зайти на фабрику и взять каких-нибудь сильных успокаивающих капель, чтобы дать их Нюше.

Конечно, Алена не сказала, что Инге следует направиться прямиком к Марине. Но ведь, с другой стороны, она же и не запретила подруге идти именно к этой женщине.

Несмотря на страшную трагедию, потрясшую всех обитателей Дубочков от мала и до велика, сама Марина находилась на своем рабочем месте. Это была высокая черноволосая женщина. И в ней явно текла цыганская кровь. Марина была очень эффектной особой, хотя уже и не такой молодой, как почему-то представлялось Инге. Но изумительная оливковая кожа, блестящие черные глаза и роскошные густые волосы убавляли Марине лет и прибавляли шарма.

Марина внимательно выслушала жалобы Инги, которая не жалела красок, описывая состояние Нюши, и сочувственно покачала головой:

— Бедняжка, мне уже говорили, что девочка очень тяжело восприняла гибель Вани. Но это и неудивительно. Ведь она была так привязана к своему дяде.

Инга наблюдала за выражением лица Марины. Но та даже ни моргнула глазом. То ли обладала железной выдержкой, то ли и впрямь считала Ваню родным дядей Нюши. Впрочем, тем людям, кто не так близко знал телохранителя, могло и впрямь так казаться.

— Бедная девочка, — все так же с сочувствием в голосе произнесла Марина дальше. — И конечно, у меня есть отличное успокаивающее средство для нее. Сейчас я вам его дам.

— Оно без побочных эффектов?

Кажется, Марину удивил этот вопрос. Но она все же ответила на него:

— Я использую рецепты своей бабушки. Они достались ей от ее собственной бабушки, а той — от ее. Так что эти снадобья опробованы не на одном поколении и всегда действовали людям лишь во благо.

— И вы совсем не составляете своих собственных снадобий?

Вопрос заставил Марину слегка смутиться.

— Ну почему же, — пробормотала она. — Бывает, что и я немножко творю. Нельзя же совсем опускать руки, даже если у тебя ничего и не получается.

Последнюю фразу она прибавила едва слышно, но Инга уцепилась за нее.

— Скажите, это ведь вы составляли снадобья для моей подруги Алены?

— Нет, в ее случае я использовала лишь самые проверенные средства. Экспериментировать на Алене Игоревне я бы не отважилась.

— А в случае с ее мужем? Для него ведь вы придумали что-то особенное?

Инга имела в виду какое-нибудь приворотное зелье, до которого были такие мастерицы все эти потомственные ворожеи-травницы.

— Откуда вы знаете? — встрепенулась Марина.

— Признавайтесь, вы ведь Василия Петровича тоже пользовали?

— Господи, кто вам сказал?

Инга не считала необходимым скрывать правду и честно ответила:

— Светлана — ваша соседка.

— Светка? Жена Антона?

Инга не знала, как звали мужа Светланы, но на всякий случай она кивнула. Марина напряглась еще больше.

— И что вам наболтала про меня эта врушка?

— Сказала, что вас часто видят в обществе Василия Петровича.

Про то, что Василий Петрович еще и разгуливает в одних трусах у нее по дому, Инга не стала упоминать. Ей показалось, что и так уже сказано достаточно.

— Так, понятно, — произнесла Марина. — И вы, будучи подругой Алены Игоревны, явились ко мне с целью выведать, что между мной и ее мужем происходит?

— Да. Отчасти.

— Ну тогда я должна передать вашей подруге, что ей совершенно незачем волноваться. У меня с ее мужем исключительно деловые отношения.

— То есть вы работаете на него, выполняете все его пожелания, принимаете его у себя дома...

— Уже и про это разузнали? — сморщилась от неудовольствия Марина. — Господи, ну что за люди!

— Вы можете как-то объяснить это недоразумение?

— Мне нечего объяснять вам. Я точно знаю: Василий Петрович очень сильно любит свою жену. И никакая другая женщина ему не нужна.

Инга решила действовать напрямик.

— А зачем же он приходит к вам домой? И это происходит чуть ли не каждый вечер!

— У нас с ним есть одно общее дело.

— Какое?

— Этого я вам сказать не могу! — отрезала Марина очень решительно. — Это тайна, причем не моя!

— И что я должна сказать Алене? Что вы подтверждаете факт того, что принимаете ее мужа у себя дома, бывает, что он приходит к вам уже затемно. Ходит у вас по дому в одних трусах и...

— Достаточно! — воскликнула Марина. — Это все выдумки досужей сплетницы! Светлана известная врушка. Она увидела, как Василий Петрович заглянул ко мне один раз, а потом раздула из этого целое событие!

Марина выглядела достаточно искренней, но все же Инга не снимала с нее подозрений. И она решила зайти с другой стороны.

— Всегда мечтала научиться ремеслу травницы, — сказала она.

И вызвала тем самым откровенное удивление Марины.

— Вы? Но зачем вам?

— Как это зачем?.. Муж у меня постоянно прихварывает.

— Вы замужем?

— Да.

Сказав это, Инга невольно покраснела. И зачем она врет? Ведь они с Залесным еще не женаты. Впрочем, живут они вместе, так что, если не вдаваться в подробности, можно считать их мужем и женой. Но почему-то настроение у Инги все равно испортилось.

Видимо, Марина это поняла, потому что, не желая ссориться с лучшей подругой своей хозяйки, поспешно произнесла:

— Ничего, простите меня, пожалуйста, за назойливое любопытство. Просто в последнее время я чувствую себя не совсем хорошо.

А еще других лечит!

И, нахмурившись, Инга строго произнесла:

— Так что, Марина, давайте договоримся с вами. Я сохраняю ваш секрет от Алены, не желая огорчать свою подругу глупыми слухами.

— Очень любезно с вашей стороны.

— А вы, в свою очередь, делаете мне тоже одолжение.

— Какое же?

— Берете меня к себе в помощницы!

Если Марина и ожидала, то явно не этого. Она открыла рот и уставилась на Ингу.

— Зачем вам это надо? — пробормотала она. — Никак не возьму в толк!

— Так что, согласны?

— А у меня есть выбор?

— Думаю, что нет.

Марина невесело улыбнулась.

— Ведь вы подруга хозяйки, я правильно поняла? Если я откажу вам, то попаду в неловкое положение. Хорошо, приходите завтра к девяти утра, я распоряжусь, чтобы вас сразу же провели ко мне.

Обрадованная Инга начала прощаться. Она прихватила пузырек, который приготовила Марина для Нюши, и направилась к выходу. На душе у нее пели птицы и цвели цветы. Она осуществила задуманное и сумела напроситься к травнице Марине в личные помощницы. Этот ход позволял Инге занять лидирующее положение в схватке. Ведь теперь этой подозрительной особе, если она и впрямь что-то замышляет против семьи Василия Петровича, и особенно против Алены, будет не так-то просто проворачивать свои планы прямо под носом у Инги.

«А я уж глаз с нее не спущу. Ишь, придумала — мужей из семей уводить».

Бывают такие дамочки, которых хлебом не корми, а дай им напакостить кому-нибудь из окружающих. И хотя Марина не произвела на Ингу отрицательного впечатления, скорее она ей даже понравилась, Инга никак не могла забыть о ночных вылазках Василия Петровича к этой женщине.

«А если я стану ее помощницей, то и в рецептах покопаться смогу. И в сами снадобья нос суну. Узнать бы еще, из какого именно растения эти галлюциногены вытащены. Тогда можно было бы поработать еще и в этом направлении».

Из мировой литературы начитанная Инга знала, что галлюцинации способны вызывать многие растения. В Мексике растет кактус, который может перенести шамана в запредельные дали. А совсем поблизости от Питера, в пределах фонтанов Петродворца, растут галлюциногенные поганки, которые с удовольствием собирают представители некоторых слоев молодежи.

Путешествуя на электричках к своим любимым фонтанам и обратно, Инга неоднократно становилась свидетельницей появления в вагонах поезда этих ребят с дико вытаращенными, ничего не видящими глазами; они напоминали сильно пьяных, хотя ни от одного из них спиртным и не пахло. Были с ними и девчонки. Так что Инга не видела никакой причины, по которой Марина не могла разжиться горсткой грибочков, которые затем и добавляла в свои снадобья.

Выходя из здания лаборатории, Инга направилась к воротам. Игорь ждал ее в некотором отдалении, на заранее условленном месте. К зданию фабрики Инга, отправляясь на свидание с Мариной, подошла первой и была одна. Никто из работников не должен был знать об их с Игорем близком знакомстве, чтобы не проговориться потом о нем Марине. Женщине не нужно было знать о том, что они с Игорем действуют заодно. И поэтому сейчас Инга даже не остановилась рядом с машиной своего знакомого.

— Следующий выход ваш, — произнесла она, почти не разжимая губ, и пошла дальше. — Договоритесь с ней и приезжайте к нам ужинать.

Она спешила к себе домой, ведь ей еще необходимо было дать указания насчет ужина.

— К ужину у нас будет гость. И к завтраку тоже.

Инга была уверена, что Игоря в разговоре с Мариной ожидает провал. Ведь травница не захочет, чтобы кто-то нарушал их уединение с Василием Петровичем. И в душе Инга уже торжествовала. Он проиграет, а у нее все получилось отлично. Игорю придется признать, что из них двоих она куда лучший и более ловкий сыщик-любитель, нежели он.

Откровенно говоря, Игорь если не понравился Инге, то всерьез заинтересовал ее. Он был приятным собеседником. И в нем чувствовалось нечто такое, от чего все женщины должны были сходить по нему с ума. И Инга была очень довольна, что заполучит себе такое отличное развлечение на всю ночь.

«Когда теряешь одного мужчину, нету ничего лучше, чем сразу же найти ему замену».

Но как ни старалась Инга убедить себя в том, что сумеет быстро забыть Ваню, его образ то и дело вставал перед ее глазами. И все же в предвкушении покаянного появления Игоря Инга находилась в неплохом настроении. Во всяком случае, она не рыдала, как Нюша. И не запиралась у себя, как поступила Алена. Инга держала себя в руках. Она накапала Нюше из пузырька девятнадцать отвратительно черных капель, которые и заставила девушку выпить. А затем отправилась на кухню, где отдала в отсутствие настоящей хозяйки распоряжения, касающиеся ужина. Инге хотелось, чтобы к моменту появления Игоря все выглядело идеально. И чтобы он ни разу не пожалел, что ему довелось остаться ночевать не у Марины, а совсем в другом доме.

ГЛАВА 9

Однако первым домой вернулся Василий Петрович. Выглядел он просто ужасно. И Инга даже не сразу решилась к нему подойти. Но он сам обратился к ней с вопросом:

— Где Нюша?

— Я дала ей лекарство, после этого она моментально уснула.

— Хорошо.

И не спрашивая, где его жена, Василий Петрович прошел в столовую.

— Ужинать будем? Инга, я умираю, как хочу есть.

Прекрасно понимая, что заставлять хозяина дома ждать, когда он желает трапезничать, невозможно, Инга все же сделала слабую попытку оттянуть время ужина до прихода Игоря.

— Я сбегаю на кухню, выясню, все ли у них готово.

— Не надо. Пусть тащат все, что у них есть. Хотя бы простую яичницу, мне без разницы, что жевать.

Вид у голодного Василия Петровича был до того свирепый, что Инга не решилась ему перечить. Она сбегала на кухню и поторопила кухарку.

— У меня давно все готово! — откликнулась та и хлопнула в ладоши.

Немедленно рядом с ней оказались две девушки, в обязанности которых входило подавать хозяевам еду, убирать грязные тарелки, а также следить за тем, чтобы в доме все вещи находились на своих местах, а пыли не было на них вовсе. Это были коллеги Нюши, но надо признаться, что Алена никогда не пошла бы на их дни рождения, да и самим девушкам в голову не приходило пригласить хозяев к себе. Дело ограничивалось устным поздравлением и обязательным подарком, который чаще всего представлял собой денежную премию, аккуратно уложенную в белый конверт.

Никаких цветов специально для этих девушек никто не заказывал и в город за заказами не мотался. Когда Инга поняла это, у нее возникло острое желание поболтать с этими девушками об их товарке. И пока Василий Петрович в одиночку насыщался мясным пирогом, прозрачным бульоном и рыбным салатом в ожидании главного блюда — жаркого по-домашнему, которое кухарка сунула в духовку, чтобы сырная корочка немного разогрелась и потекла, как это нравилось хозяину, Инга приступила к осуществлению своего плана.

Но первый же ее заход потерпел фиаско.

— Нюша? — пожали плечами служанки. — А мы с ней не дружим.

— Почему? — удивилась Инга. — Вы ведь работаете вместе.

— Кто работает? Нюша?

— В жизни такого не было!

— Почему? — еще больше удивилась Инга. — Она ведь тоже горничная, как и вы. В чем же разница?

Девушки переглянулись между собой.

— Мы не знаем.

— И если уж совсем говорить начистоту, то и нам тут работа не всегда находится.

— Хозяева живут вдвоем. Садовник и сторож живут в своих домиках, убираются у себя сами. Детей в доме нет. Конечно, иногда приезжают гости, но тогда хозяева нанимают еще людей для работы.

— Так что же?.. Для Нюши не нашлось работы?

— Нет, работа всегда есть. Без дела мы тоже не сидим. Но Нюша, как только появилась в этом доме, сразу же заявила, она личная горничная хозяйки, только за ней она ухаживает, все остальное в доме ее не касается.

— И хозяин сам точно так же, слово в слово, сказал. Нюша в доме на особом положении. Кто ее обидит, будет иметь дело с ним лично.

— Ничего себе... Наверное, это все потому, что она племянница Вани?

Девчонки хитро переглянулись между собой. Они явно имели что сказать по этому поводу, но отчего-то не решались.

— Ну что? — подбодрила их Инга. — Говорите!

— Алена Игоревна велела нам особо не болтать об этом, — нерешительно заговорила одна из девушек.

— Я ей ничего не скажу, клянусь!

— Ну хорошо... Нюша никакая не племянница своему дяде!

— Что?

— Ну, то есть, может быть, у нее где-то и есть дядя, но только это никак не Ваня!

— Не Ваня? Вы это точно знаете?

— Нюша нам сама об этом сказала. Как-то мы ее подпоили и давай дразнить, что дядя у нее скупердяй, нет чтобы взять к себе племянницу просто так, он ее на чужих людей отрядил работать. Она и не выдержала. «Не знаете, — говорит, — вы ничего. Никакой он мне не дядя. А живу я с ним, потому что так мой родной отец распорядился».

— Да вы что? И кто же он — ее отец?

— Этого мы не знаем! — хором ответили девушки.

— Как жаль, — искренне расстроилась Инга. — Но вы Алене Игоревне об этом рассказали?

— И ей, и хозяину сказали. Только Алена Игоревна велела нам помалкивать и сказала, что если Ваня счастлив с Нюшей, то и мы должны за него радоваться.

— А Василий Петрович?

— Он вообще на нас только накричал и запретил с новенькой разговаривать.

— Совсем?

— Под угрозой увольнения к Нюше нельзя было больше в душу лезть. Ну мы и не лезли. Работа всегда нужна, а Нюша нам быстро надоела.

— Задавака.

— И учится все время.

— Зануда!

— И зубрилка!

— И выскочка!

— Без недели год живет в Дубочках, а уже в любимицы втерлась ко всем в доме!

Инга прищурилась:

— Но только не к вам, как я понимаю?

— А мы-то ей зачем? Это она на первых порах, пока еще неуверенно себя чувствовала, с нами дружбы искала. А как почуяла, что и без нас прекрасно обойтись сможет, тотчас под крылышко к хозяевам переметнулась, с нами и знаться больше не желает.

Произнеся это, девушки подхватили подносы и поспешили в столовую, откуда уже несся грозный рык все еще не насытившегося Василия Петровича. Инга покрутила головой по сторонам с целью найти оправдание столь долгому своему отсутствию. Затем схватила со стола корзиночку со свежим хлебом и поспешила следом за девушками.

— Иду, иду, Василий Петрович, — щебетала она по дороге. — Не извольте гневаться, ваш любимый хлебушек резала. Вот, откушайте.

Но, наткнувшись на взгляд Василия Петровича, тут же осеклась, замолчала и даже покраснела. Что это она в самом деле? Человек потерял сегодня лучшего друга, а она сыплет неуместными шуточками.

— Инга, водки со мной выпьешь?

— Выпью.

Инга терпеть не могла водку, но понимала: никак нельзя отказать сегодня Василию Петровичу в компании. Тот поднялся и тяжело потопал к старинному буфету, в котором у него был вмонтирован очень даже современный бар, имеющий три отделения, в каждом из которых охлаждались бутылки до нужной температуры. Василий Петрович извлек мигом покрывшуюся инеем бутылку, перехватил из рук горничной рюмки и снова плюхнулся на свое место.

— Молодец, Инга, держишься, — похвалил он ее. — А я весь день сам не свой.

— Еще бы, вы друга потеряли.

— Так ведь и у вас с Ванькой вроде роман намечался?

— Это было давно и не всерьез.

Но Василий Петрович уже утратил интерес к этой теме.

— Девчонки-то мои: одна спит, другая... невесть где болтается, — задумчиво произнес он.

— Кто болтается? Где?

— Про Алену говорю.

— Она у себя в спальне была.

— Алены дома нету, — покачал головой Василий Петрович. — Пока ты на кухне неизвестно с чем возилась, я к ней зашел, думал Ваньку помянуть позвать, а у нее в комнате пусто. Так что, пока она шляется, мы с тобой выпьем.

Инга машинально выпила, как положено за покойников, не чокаясь. И зажмурилась, когда крепкая жидкость обожгла ей горло. И кто только придумал, что за покойников нужно пить обязательно водку? Ведь едят же кутью с медом, чтобы умершим на том свете было сладко. Зачем же при этом еще и пить водку? Не лучше ли выпить что-нибудь другое... поприятнее? Вино, например, или даже морс.

— Инга, не зевай. Держи рюмку.

Василий Петрович явно намеревался утопить свое горе в вине. Будь Алена за столом, он бы так лихо себя не вел. Но если свою жену он уважал, то к Инге питал исключительно отеческие чувства и ни во что не ставил ее слово.

И все же она не могла понять, куда подевалась Алена. Вроде бы подруга не собиралась уходить. Извинившись перед Василием Петровичем, который после трех рюмок принялся наконец за горячее, Инга вновь вышла на кухню.

— Алена Игоревна? Так она ушла минут пятнадцать назад. Василий Петрович как раз ужинать начал, а она из дома вышла.

— Куда?

— Так я у нее не спрашивала. На ней тапочки домашние были, небось прогуляется по саду и вернется.

А вторая горничная прибавила:

— Наверное, в домик садовника побежала.

— Они дружат?

— Нет, — засмеялись девушки. — Просто домик этот пустой стоит. И за садовником он только числится. Раньше-то садовник холостой был, тут, в усадьбе, постоянно жил. А прошлым летом женился, с тех пор его домик пустует. Он сначала им хотя бы днем пользовался, а как жена родила, совсем перестал — скорее всю работу сделает да и домой спешит.

— Заботливый папаша.

— Заботливый, только страшный уж очень.

Инга помнила садовника Петю — рыжего, рябого и какого-то неуклюжего парня. Да уж, красотой он не блистал. Вечно был потный, в прыщах, и дыхание от него исходило тяжелое, указывающее на проблемы с пищеварением. Но зато он умел отпускать грубоватые, но всегда смешные шуточки, над которыми ухохатывались все подряд. И, оказывается, из него получился заботливый папаша и преданный муж. Наверное, его жена на седьмом небе от счастья, что ей достался такой супруг. Впрочем, женщинам ведь всегда мало. Скорей всего, Петина жена пилит его с утра и до ночи, как и полагается всякой преданной жене.

Как ни интересно Инге было болтать с горничными, главный разговор, определенно, должен был состояться с Игорем. А он что-то заставлял себя ждать. Инга вернулась к столу, с тревогой поглядывая в окно и прислушиваясь к звукам. Время ужина уже почти близилось к концу, Василий Петрович начал покряхтывать, что являлось у него признаком насыщения, а Игоря все еще не было видно.

— Как прошло опознание останков? Или чем ты, Василий Петрович, в городе занимался?

Василий Петрович крякнул, вопрос Инги его явно не порадовал. Но все же он не стал молчать и пробурчал:

— Вот люди... И когда только успели?

— Что — успели? — не поняла его Инга.

— Цепь с крестом, говорю, когда успели спереть?

— У Вани украли нагрудный крест?

— Раз нету, значит, так — украли. Когда покойника в морг покатили, я не сразу про крест-то вспомнил. А как вспомнил, сунулся, они мне и говорят: не было на нем креста.

— Может, расплавился? Там жар был большой.

Но Василий Петрович эту идею отмел.

— Следы бы все равно остались. Да и слиток должен был приличных размеров получиться. Испариться же он с Ваниной груди никак не мог.

Инге было неприятно слышать о том, что Ваня стал жертвой грабителей-мародеров. Но в то же время она помнила: крест на груди у телохранителя был размером с добрую ладонь. И цепь, на которой он висел, тоже была соответствующей величины. Исчезнуть бесследно в пламени эти две вещи никак не могли. Пламя, в котором побывал несчастный Ваня, было достаточным, чтобы убить человека, но все же недостаточно сильным, чтобы начисто испарить золото с его тела.

— Подумать только, какие люди бывают гады! — с чувством произнесла Инга. — Обокрасть мертвого, что может быть хуже!

— Много чего может, — вздохнул Василий Петрович. — Но и это тоже достаточная мерзость.

— Как ты думаешь, кто это постарался?

— За наших людей я уверен. Наверное, санитары в морге. Или те... на перевозке. Им не привыкать.

— Ну зачем ты так говоришь, Василий Петрович, — укорила его Инга. — Ведь не знаешь наверняка.

— Наверняка я знаю только одно — крест пропал. И что ты тут мне ни говори, Инга, а я тебе скажу одно — крест украли! Да не сам крест мне жалко, а память Ванину.

— Ты хотел передать крест Нюше?

— Нюше?

Василий Петрович выглядел изумленным.

— Ей-то зачем? Она тут при чем?

— Как же? Она же племянница Ванина. Его единственная наследница. Ей и крест, и цепь, и все остальное принадлежит.

Инга сказала эту фразу с намеком. И Василий Петрович попался на крючок.

— Да что ей там наследовать? Даже и думать забудь! Ваня давно уже все свое имущество распорядился на благотворительность раздать.

— Благотворительность?

Последнее было для Инги сюрпризом. Вот уж никак не ожидала, что Ваня, казавшийся всегда немного чурбаном, знаком с такими высокими понятиями. Но прежде чем Инга успела мысленно извиниться перед своим бывшим воздыхателем, Василий Петрович добавил:

— Ваня благотворительность своеобразно понимал. Велел все его имущество в деньги обратить и на эти деньги его любовницам мужей подыскать.

— Что?

— Вот я теперь голову и ломаю: как мне быть? Через брачное агентство или как я теперь должен действовать? Ты мне не подскажешь?

Инга молча помотала головой. Она была ошеломлена услышанным. Какой все-таки странный человек был этот Ваня! Ведь любил-то он ее, в этом Инга была совершенно уверена, а деньги свои завещал каким-то посторонним бабам. И зачем? Какой в этом смысл?

Но в этот момент во дворе послышались чьи-то шаги, и Инга мигом забыла о Ване. Наверняка это идет Игорь. Давно уж пора!

— Добрый вечер, мои дорогие.

Алена!

Инга ощутила одновременно и разочарование, и радость при виде подруги.

— Где ты была?

— В саду.

— А что ты там делала?

На мгновение Алена смутилась. Но быстро пришла в себя и сказала:

— Хотела побыть одна, собраться с мыслями.

— И давно ты ушла?

— Да уж порядочно.

— Еще до моего приезда?

— Да.

Инга исподлобья взглянула на Алену. Зачем она лжет? Ведь Василий Петрович уже был в доме, когда она уходила. Алена не могла не слышать возвращения своего супруга. Но вслух Инга ничего не сказала. Между супругами намечалась трещина. И Инге совсем не хотелось, чтобы благодаря ей эта трещина сделалась еще шире.

Но Василия Петровича ответ Алены, кажется, вполне удовлетворил.

— Ну хорошо тогда, — проворчал он куда более мирно. — Выпьешь с нами?

— Нет, не хочу.

— Не хочешь пить за упокой души Вани? — поразился Василий Петрович. — Алена... ты что?

Изумление и упрек в его голосе были столь явственны, что Алена быстро изменила свое мнение.

— Ладно, выпью, — сказала она. — Только не за упокой его души, а за то, чтобы люди или человек, подстроивший катастрофу с Ваниной машиной, был пойман!

С этими словами она лихо опрокинула в себя рюмку водки и, не закусывая, уставилась прямиком на мужа. Василий Петрович взгляда тоже не опустил.

— Сказал кто? — тихо произнес он. — Или сама догадалась, что не простая авария с Ванькой случилась?

— Сама.

— Молодец.

И Василий Петрович погрузился в мрачное молчание. Но долго ему пробыть в нем не удалось. У порога был уже новый гость.

— Тук-тук, можно войти?

Сердце Инги замерло. Она узнала голос Игоря. Алена тоже узнала его и приветливо кивнула:

— Заходите, Игорь. Как там Виктор Андреевич? Справляется со своим горем?

— Какое там, — вздохнул Игорь. — Я разговаривал с ним сегодня. Он по-прежнему жаждет мести. Хочет найти человека, напоившего Марию Петровну этой дрянью.

— Какой дрянью?

Уважаемый Василий Петрович хоть и был хозяином в своих владениях, но еще не знал ничего о том, что поведал Игорь сегодня утром Инге. И поэтому сыщику пришлось подсесть к ним за стол и обстоятельно изложить суть дела. Рассказ его проходил в полной тишине. Ни Алена, ни Василий Петрович не издали ни единого звука, пока рассказчик не умолк сам.

И лишь затем Василий Петрович стукнул себя по коленке и рявкнул:

— Это что же такое делается?

Все вздрогнули, считая, что окрик относится к ним. Но оказалось, что Василий Петрович негодует не на них, а вообще, так сказать, в принципе.

— Это что делается в моих Дубочках? Жене мерещится всякая хрень. Пожилую женщину отравили. А мой лучший друг и самый верный товарищ разбился сегодня и сгорел в собственной машине в нескольких шагах от моего дома!

Это было некоторым преувеличением. От дома до транспортного цеха было не меньше двух километров, но никто не стал упрекать Василия Петровича в неточности. Вместо этого все уставились на него с огромным почтением во взгляде. Василий Петрович выходил из себя крайне редко, но когда это случалось, гнев его был страшен и разил всех без разбору. И сегодня, похоже, был именно такой случай. Так что лучше было помалкивать и поддакивать, дожидаясь, пока приступ гнева пройдет.

— У меня, под самым моим носом, убивают людей! Старушка, Ванька... Ох, Ванька, не уберег я тебя. Надо было мне прислушаться к твоим словам. Глядишь, и ты сейчас жив был бы. Нет, отмахнулся, не думал, что в Дубочках может мерзость какая появиться. А она появилась. И Ваньку убила!

Алена встала и обняла мужа за плечи.

— Расскажи нам все, дорогой. Расскажи, что тебе удалось узнать у следователя. Кто-то подстроил Ване эту аварию? Верно?

Василий Петрович кивнул и начал говорить. Когда сегодня утром случилась трагедия, унесшая жизнь его верного друга, Василий Петрович поклялся себе в том, что обязательно разберется в этом деле. И если будет хоть малейшее подозрение, что это не простой несчастный случай, то он накажет виновных.

Но долго терзаться сомнениями ему не пришлось. Рывшийся под капотом изуродованной машины механик-эксперт выглянул наружу с самым мрачным выражением лица.

— Рулевое управление повреждено, — мрачно сообщил он. — Кроме того, тормозная жидкость гораздо ниже минимального уровня.

— Это не может быть следствием аварии?

— Вряд ли. Тормозной шланг поврежден явно с помощью механического предмета — ножа. Думаю, что жидкость вытекла гораздо раньше, машина стала неуправляема, что и послужило причиной аварии, унесшей жизнь вашего друга.

Но Василий Петрович все равно сомневался:

— Машина у Вани была совсем новая. Он регулярно проверял ее в сервисе. Не может быть, чтобы в ней появилось сразу две поломки, и обе такие серьезные!

— Значит, шланг и рулевое управление испортили преднамеренно.

— Опять мимо. Машина была под завязку напичкана всякой электроникой. Если я садился рядом с

Ваней, позабыв пристегнуться, она тут же начинала истерить. Что уж там говорить о таких серьезных повреждениях! Машина бы просто не завелась, да и все тут.

— Вот и мне это странно, — признался эксперт. — Похоже, что над электроникой кто-то основательно покудесничал. Машина была серьезно повреждена, но при этом все приборы показывали норму, раз ваш друг отправился на неисправном автомобиле в путь.

— А такое возможно?

— При наличии умения и навыков все возможно. Но на такую работу нужно время. Много времени. От часа до нескольких часов. Поэтому я обязан спросить: где находилась машина пострадавшего до этого инцидента?

— Где? Да у него дома, в гараже.

— Гараж охраняемый?

— Запирается изнутри дома, как обычно у всех.

— Вчера ваш друг своею машиной пользовался?

— С утра и в первой половине дня ездил.

— И все было в порядке? Он не жаловался на какие-то проблемы?

— Нет. Ничего такого не сказал.

И Василий Петрович слегка покраснел. В последнее время между ним и Ваней если не наметилось охлаждение, то некоторая напряженность все же присутствовала. Так что если Ваня даже и имел проблемы с машиной, вряд ли он стал бы докладывать о них хозяину. Раньше — да, раньше они с Ванькой обязательно бы побеседовали по душам, вместе бы решили, как быть. А вот в последнее время что-то между ними встало. Что-то или даже кто-то. И Василий Петровіч догадывался, что могло быть причиной такого охлаждения отношений между ними.

Между тем эксперт уже вынес свое решение:

— Значит, машину испортили минувшей ночью! И человек, который сделал это черное дело, имел полный доступ в гараж!

Услышав это, Василий Петрович неприятно изумился.

— Ваня жил со своей племянницей, совсем юной еще девочкой. Вчерашней школьницей. Как по-вашему, она могла испортить машину?

— Вряд ли. Тут нужны специальные знания.

— Нюша даже водить не умеет! У нее и прав нету!

— Я ведь не обвиняю именно эту молодую особу. Я всего лишь высказываю предположение, каким образом могла быть испорчена машина.

И тут Василия Петровича осенило:

— Вчера в доме у Вани было полно народу. Был праздник, и гостей набилось видимо-невидимо. Гараж же стоял практически неохраняемый. Любой, у кого имелось такое желание, мог пройти туда и испортить машину.

Эксперт выслушал, молча кивая в знак своего согласия с версией Василия Петровича.

— Скорее всего, машину испортили ночью. А вечером преступник лишь подготовил себе путь: открыл дверь гаража, чтобы чуть позже вернуться и покудесничать над машиной уже без помех.

Но кто именно мог это сделать?

— Видеокамер в гараже, конечно же, нет?

Василий Петрович лишь тяжело вздохнул в ответ. Если бы в гараже была видеокамера, то, как только произошла авария, он бы первым делом просмотрел запись с нее. Потому что хозяин Дубочков никак не мог поверить в то, что случившаяся трагедия могла произойти сама собой. Нет, только не с Ваней и только не таким образом. Погибнуть из-за неисправности в машине телохранитель не мог. Не таков был этот человек, чтобы принять нелепую смерть. Но вот какая штука: пройдя Афган и выжив в девяностые, Ваня поселился в таких мирных Дубочках. И тут уж уйти от рук жестокого злодея ему не удалось.

Выслушав рассказ Василия Петровича, все ненадолго задумались. И затем Игорь произнес:

— Выходит, у нас уже две насильственные смерти? Мария Петровна и ваш Ваня? Марию Петровну мог отравить Сева. Он не хотел этого брака своего отца. Считал, что он помешает ему унаследовать весь его капитал.

— А он значителен?

— Ну не так чтобы очень, но все же достаточно ощутимо, если потерять. У Виктора Андреевича есть квартира в центре города, дача, пусть и старая, но зато расположенная в Курортном районе, где сама земля стоит целое состояние. И кроме того, несколько счетов в банках. Виктор Андреевич ведь до сих пор активно занимается научной работой. Его статьи печатают в отечественных и иностранных изданиях. А Сева... Он сам нигде не преуспел, ничего не нажил. И без отца он вообще никто. Виктор Андреевич помогал ему материально, я это точно знаю.

— Сева не показался мне таким уж отъявленным злодеем. Он с ленцой, но вроде бы не злой парень.

— Не злой, но жадный. Был таким с самого детства. Хорошо помню, как он прятал от меня свои сладости, хотя нам всегда доставалось поровну и я никогда не претендовал на его половину. Но он делал вид, что все съел, а потом начинал выманивать у меня по конфетке. Долгое время я искренне верил, что он просто обжора. Но однажды увидел, как он плюет в тарелку домработницы, которая посмела отказать ему в добавочном пирожном, находя, что он и так чересчур упитан, и мне стало ясно: Сева жалкий тип, но он способен и на мстительный поступок.

— Предположим, что смерть Марии Петровны — это его рук дело. Но откуда у вашего кузена взялась отрава? Он привез ее с собой? Значит, он заранее планировал убийство Марии Петровны?

Но Игорь не успел ничего ответить.

— А мне кажется, что я знаю, где Сева взял отраву, — перебила его Инга.

— Знаешь? И где?

— У вас в лаборатории.

— Что за чушь? — насупился Василий Петрович. — Мы не имеем дела с ядами.

— А никто и не говорит, что Марию Петровну именно отравили. Она скончалась от инфаркта, а вызвать сердечный спазм могло чрезмерное волнение. В крови у старушки нашли галлюциноген, он мог спровоцировать видения, в том числе и такие жуткие, что сердце у пожилой женщины не выдержало. А галлюциногены содержатся в некоторых растениях и грибах. Вы же применяете в своих снадобьях вытяжки из грибов?

— Из белых грибов у нас делают сыворотку, которая уменьшает рост раковых клеток.

— Значит, такая аппаратура у вас имеется!

— Но это пробное направление. В микологии мы еще только делаем первые шаги.

— И занимается ими Марина?

При упоминании этого имени Василий Петрович нервно вздрогнул и как-то по-особенному покосился в сторону своей жены. Алена сделала вид, что ничего не замечает, а возможно, что и действительно ничего не заметила. Подруга сидела с непривычно рассеянным видом, слушала беседу невнимательно. И обшаривала стол каким-то непонятным взглядом, словно прикидывая, чего бы ей съесть, но при этом не положила себе на тарелку еще ни крошки.

— Так что? — настаивала Инга. — Грибами у вас ведает Марина?

— Ну да, — вынужденно признался Василий Петрович. — Но я категорически заявляю: Марина ценнейший сотрудник. Я плачу ей очень хорошие деньги. Причем если прочие сотрудники получают просто хорошие деньги и при этом чувствуют себя богачами, то Марина получает действительно ОЧЕНЬ ХОРОШИЕ деньги.

Несмотря на то что Василий Петрович голосом особо выделил последнюю фразу, Инга все равно сомневалась, что на свете найдется человек, который, даже получая миллионы, не захочет подзаработать еще чуть-чуть. Как известно, денег много не бывает. Всякий, у кого они завелись, может сказать по себе, что вместе с заработком вырастают и аппетиты. Если вчера ты ездил на новенькой иномарке, то завтра тебе уже хочется машину экстра-класса. Если сегодня ты купила себе шубу из мутона, то, вполне возможно, завтра ты не наденешь ее даже для того, чтобы вынести накопившийся мусор на помойку. А захочешь норку или соболя.

— Отстаньте от Марины! — нервничал Василий Петрович. — Вот еще выдумали! Чтобы я больше не слышал ни единого слова в адрес этой замечательной женщины!

Он разозлился до такой степени, что у него даже глаз начал дергаться.

— Вот ведь денек! Сначала Ванька погиб, потом понеслось-покатилось. А теперь еще и это! Оставьте Марину в покое, ясно вам?

И с этим возгласом Василий Петрович устремился к себе. Алена проводила его долгим взглядом, но ничего не сказала. Оставшиеся за столом трое тоже недолго провели вместе. Едва только за мужем закрылась дверь, Алена встала и принялась накладывать себе на тарелку жаркое. Инга смотрела на нее с изумлением. Алена не слишком-то любила это блюдо, зато Василий Петрович и Ваня его обожали, потому кухарка время от времени и готовила его. Но сегодня подруга положила себе целую тарелку, да еще с горкой. И сверху положила бутерброд, на который водрузила несколько кусков ветчины, сыра и даже горбушку копченой рульки умудрилась сбоку пришлепнуть. Оглядев сооружение, она с удовольствием кивнула и направилась к выходу.

— Ты куда? — удивилась Инга.

— Хочу поужинать.

— А уходишь зачем?

— Хочу побыть в одиночестве.

— Если ты из-за этой Марины, то я тебя уверяю...

Инга хотела сказать, что она завтра пойдет к Марине в помощницы и костьми ляжет, чтобы узнать, где у этой особы хранятся грибы или кактусы, из которых она и делает вытяжки, сводящие людей с ума или даже отправляющие их на тот свет. Но Алена отреагировала как-то неожиданно.

— Мне все равно, — отмахнулась она.

— Василий Петрович любит тебя, а не эту Марину.

— Вася так заврался, что теперь я уже не знаю, нужен ли мне такой муж.

И сделав это шокирующее замечание, она вышла из комнаты. Инга была растеряна поведением своей подруги. И окончательно она растерялась, когда увидела, что и Игорь тоже собирается уходить.

— А вы-то куда?

— Как это куда? Мы же договорились, вы следите за Мариной днем, а я буду следить за ней ночью.

— Вы напросились к ней в квартиранты? — ахнула Инга. — Вам это все-таки удалось? И как?

— Откровенно говоря, мне даже не пришлось особенно настаивать. Как только я заикнулся, что мне негде сегодня переночевать, она сама предложила мне остановиться у нее. Сказала, что одна занимает целый дом, у нее имеется сразу несколько свободных комнат и что она будет только рада моему обществу.

Инга покраснела от досады. Ну и Марина! Ну и штучка! Захомутала себе Василия Петровича, и все ей мало! Теперь она и на Игоря глаз свой цыганский положила. Но он-то каков! Тут же забыл про Ингу и помчался ночевать к этой Марине. Какие же все мужики подлые! Одни умирают, другие болеют. А третьи вроде бы и здоровые, и живые, но так и норовят свинтить к другой женщине.

И в полной уверенности, что счастья нету нигде на этой планете, Инга отправилась к себе в спальню. И последним ее впечатлением от этого нелегкого дня стало появление Алены, бредущей по саду с обеденной тарелкой в руке. На сей раз тарелка была совершенно пуста, а вот в руке у самой Алены было сочное яблоко, от которого она откусывала большие куски, которые быстро пережевывала.

— Куда в нее только лезет столько, — пробормотала Инга с осуждением. — Тут такое горе, а она метет все подряд.

Но вскоре Алена скрылась в доме. И когда Инга, услышав ее шаги, выглянула в коридор, чтобы пожелать подруге спокойной ночи и, возможно, поговорить, Алена лишь кивнула ей в ответ и сразу же закрылась у себя в спальне.

ГЛАВА 10

На следующий день ровно в девять утра, как и было договорено между ними, Инга стояла у проходной в ожидании, когда ее пригласят в лабораторию к Марине. Ждать ей пришлось совсем недолго. Марина вышла к ней сама, одетая в кокетливый белый халатик, позволяющий окружающим созерцать аппетитные округлости ее тела. В щедром вырезе декольте покоилась красивая пышная грудь, на которой лежал старомодный кулон в виде бабочки, крылья которой были украшены жемчугом и разноцветными камешками.

— Пойдемте, — кивнула Марина. — Я покажу вам свои владения.

И она сдержала свое слово. Провела Ингу по всей лаборатории, открыла перед ней все шкафы и холодильные установки, в которых при определенной температуре хранились драгоценные вытяжки из растительного сырья.

— Видите, мне скрывать нечего.

— А я и не думала, что вы что-то скрываете.

— В самом деле?..

Марина прищурилась.

— А этот симпатичный молодой человек, который напросился ко мне в постояльцы, скажете, его вы тоже не знаете?

— Симпатичный? — прикинулась дурочкой Инга. — Но если он не здешний, то, скорее всего, это Игорь.

— Ага! Вы признаете, что знакомы с ним!

— Да, и что с того? Он появился как раз в тот момент, когда мы пытались извлечь из машины останки Вани. Я благодарна ему за то, что он отвлек меня от этого зрелища.

— Брр, — передернуло Марину. — Как подумаю о случае с Ваней, прямо мороз по коже. Я слышала, что авария была подстроена?

Новости в Дубочках разносились что-то очень уж быстро. И как это за одну ночь вся усадьба разузнала подробности о смерти Вани? Или... Или это не все Дубочки, а только одна Марина знает?

— А кто вам об этом сказал?

— Так Игорь и сказал.

Ну и болтун! Кто его просил распускать язык перед этой Мариной? Инга почувствовала смутное недовольство своим напарником. Он подвел ее в первом же раунде. И как только такой ненадежный человек умудряется выглядеть таким обаятельным?

— Он очаровашка, верно? — словно прочитав ее мысли, промурлыкала Марина. — Мы с ним так мило вчера вечером побеседовали. Знаете, бутылочка вина, вкусная закуска, задушевный разговор. Он, оказывается, приехал в Дубочки расследовать обстоятельства смерти своей тети, или я не поняла, кем там приходилась ему эта старая женщина, погибшая на дне рождения у Нюши.

Нет, это просто невероятно! Это какой-то феноменальный болтун! Просто болтун в квадрате и даже в кубе. Или... И тут Ингу внезапно осенила одна мысль. А уж не сама ли Марина стала причиной такой отчаянной болтливости Игоря? Что они там пили? Бутылочку вина, в которое очень легко подлить экстракт какой-нибудь травки или смеси трав, оказывающих на человека расслабляющее и раскрепощающее действие.

Инга хорошо помнила, что произошло с одним ее знакомым, которому она по совету Алены подлила этот самый «Болтунин». И при воспоминании о том, что чуть было не произошло с ней, когда невероятно оживившийся под действием настойки мужчина полез к ней с нежностями. И если Марина подлила нечто в этом роде Игорю, то у них... то они...

— Так вот чем вы занимались всю ночь! — воскликнула она.

— Да, да, — весело и словно бы дразня ее подтвердила Марина. — Мы с Игорем проболтали всю ночь.

Проболтали они, как же! У Инги даже в глазах от злости потемнело.

— Инга, — внезапно услышала она глубокий проникновенный голос Марины. — Ну зачем вы играете со мной в эти ваши игры? Клянусь вам, что я никогда не замышляла и не собираюсь замышлять ничего против Василия Петровича и его жены. Они очень хорошие люди, и я рада, что у меня есть такие друзья.

— Какие игры?

— Когда вы явились ко мне вчера вечером и заявили о своем желании поработать со мной, у меня сразу же зародились сомнения. Но я никак не могла взять в толк, в чем вы меня подозреваете.

— Но Игорь вас за эту ночь, надо думать, хорошенько просветил. Болтун!

— Он не так уж виноват. Признаюсь, я подлила ему кое-что, не надеясь на одно только собственное обаяние.

— Видите! Вы подлая женщина!

— Может быть, кое-какая чертовщинка во мне и имеется, — лукаво согласилась с ней Марина, — но я не убийца!

— И почему я должна вам верить?

— Потому что у вас просто нету другого выхода.

Инга прикинула про себя, какие у нее есть козыри против Марины. Получалось, что никаких. Этот легкомысленный болтун Игорь сдал ее с потрохами. Теперь все их с Игорем планы против Марины известны самой Марине. И конечно, если что-то у нее тут и было противозаконное в лаборатории, она давно уже все перепрятала.

Но сдаваться Инга тоже не собиралась и воинственно заявила Марине:

— Пока не скажете, зачем к вам ходил столько времени Василий Петрович, откровенного разговора у нас с вами не получится.

— Я не могу, — огорчилась Марина и, как показалось Инге, вполне искренне. — Честное слово, это такая тайна... Мужчина может простить женщине очень многое, но только не это.

— Скажите только, у вас был с ним секс?

— С кем? С Василием Петровичем? Да вы что! Конечно нет!

Марина воскликнула это столь искренне, что Инга не нашла ничего лучшего, чем промямлить:

— Честно?

— Василий Петрович обожает свою супругу. Это всем известно.

— Некоторые мужчины любят своих жен, но ходят при этом налево.

— К нему это точно не относится. А кто вам вообще такое про меня наплел?

— Я уже говорила, ваша соседка.

— Светлана! Это она вам сказала, что я принимаю у себя Василия Петровича с целью увести его от любимой жены?

— Да. Только не мне она это рассказала, а Алене.

— Ах, она и до Алены Игоревны дошла! Надо же, какая подлая баба! — вспыхнула Марина. — Вот, значит, как она решила действовать! Прямо не получилось, она в обход зайти решила!

— О чем вы говорите?

Марина немного помолчала, остывая, а потом произнесла:

— Не стану скрывать, я не монашка, я люблю мужчин, а они любят меня. С пятнадцати лет у меня всегда был постоянный мужчина, который умел доставить мне удовольствие в постели. Замужем я не была и не рвусь, но мужчин люблю. И конечно, тут я тоже присмотрела себе одного симпатичного. Я его испробовала, он мне понравился. А о том, что он женат, да еще женат на моей соседке, я узнала много позже. Расставаться с любовником мне не хотелось, он мне нравился, но ради добрососедских отношений я все же пошла на разрыв и принесла эту жертву на алтарь супружеского счастья моего любовника.

— И что?

— И думаете, мне кто-то был за это благодарен? Оскорбленный любовник начал распускать обо мне по поселку грязные слухи, будто бы я ведьма, приворожила его, а потом бросила. А Светлана буквально возненавидела меня...

— За что? Ей-то какое дело, с кем вы спите?

— Вы еще не поняли? Именно ее муж и стал моим любовником.

Вот оно что!

— Выходит, Светлана старалась избавиться от вас не ради Алены, а ради себя самой?

— Хитрая бабенка решила, что Алена Игоревна сначала приревнует своего мужа ко мне, а потом настоит на том, чтобы меня уволили к чертям собачьим. И какая подлая баба эта Светка! Я не встречаюсь с ее мужем уже второй месяц, а она до сих пор не дает мне покоя! Вот и вчера явилась ко мне под окна, орала что-то непотребное. Мне даже показалось, что она пьяна.

— И чего она хотела?

— Не знаю. Мне показалось, что она искала своего мужа. Думала, что он у меня. Но когда на шум вышел Игорь, она быстренько убралась восвояси.

— Поняла, что у вас уже другой поклонник имеется, и успокоилась.

— Вот именно, — многозначительно облизнула припухшие губы Марина. — Так что? Мы договорились? Вы мне верите?

— О чем вы?

— Не хочу, чтобы у Василия Петровича или Алены Игоревны зародились хоть малейшие сомнения на мой счет. Видите ли, я много сменила других мест, прежде чем оказаться в Дубочках. Мне тут нравится, я не хочу перемен.

— Это все слова. А вот скажите, не вы ли запускаете новую линию? На сей раз с вытяжками из различных грибов?

— Я запускаю. Признаю, что это так.

— Вот видите! Значит, вполне способны синтезировать на своем оборудовании галлюциногены из поганок.

— Но в окрестностях Дубочков эти грибы не произрастают, насколько мне это известно.

— Подумаешь! — пожала плечами Инга. — Закупили их в другом месте.

— Ни по одним накладным они не проходят. Можете проверить все бумаги.

— Ой, не смешите вы меня! Купили где-нибудь из-под полы, как будто бы не знаете, как такие вещи делаются.

— Знаю, — кивнула Марина. — Но понимаете, мне ведь совершенно не для чего было травить бедную старушку.

— А Алену?

— Ее-то с какой стати?

Хочешь откровенный разговор — получай!

— А для того, чтобы занять ее место! — выпалила Инга и уставилась на Марину в ожидании реакции той.

Какое-то время Марина молчала, явно пытаясь осмыслить услышанное. А затем внезапно расхохоталась.

— Я? Занять место Алены Игоревны? Да ни за что на свете!

Марина держалась так, словно ей было известно о Василии Петровиче нечто постыдное, что совершенно отвращало эту чувственную женщину от него.

— Почему это? Вам не нравится Василий Петрович? Он хозяин здешних мест и он...

— Он не хозяин самому себе в постели! — выпалила Марина и тут же зажала себе рот. — Ой!

— Вот вы и проговорились! Вы его любовница!

— Нет, нет! Тут другое!

— Как же вы можете знать, каков муж моей подруги в постели, если не спали с ним?

— До чего же вы настырная! — воскликнула Марина в отчаянии, всплеснув руками. — Василий Петрович очень хороший человек, но он... но у него...

— Что?

— Поклянитесь, что никому не скажете!

— Нет, я не могу дать вам такой клятвы.

— Ну хотя бы пообещайте, что не скажете об этом никому, кроме Алены Игоревны. Она-то, я думаю, и так это знает.

— Да что знает-то?

Они в лаборатории были одни. Никто не мог подслушать их разговор. И тем не менее Марина поманила Ингу поближе к себе. И лишь после того, как женщины встали совсем вплотную, Марина прошептала:

— У Василия Петровича проблемы с потенцией! Ясно? А я его лечу!

— Лечите?

— Ну да, — энергично затрясла головой Марина. — Это моя специализация. Лечить мужчин. И моя бабушка, и прабабушка, и все прочие женщины в нашем роду всегда занимались одним делом — лечили мужчин, которым... которых...

— Не надо продолжать, я все поняла.

— Нет, вы еще не все узнали. И эту грибную линию Василий Петрович затеял с одной-единственной целью — он хочет излечиться от своего недуга. Знаете такой гриб — веселку?

— Что-то не приходилось слышать.

— Его еще называют ведьминским грибом, или просто фаллосом. Сходство с мужским детородным органом в нем просто огромное. Да и вырастает он за считаные часы, а то и минуты. Это очень сильное средство для стимуляции всех оздоровительных процессов в организме. Но в случае с Василием Петровичем простого приема этого гриба оказалось недостаточно. К тому же он страшно опасался, как бы посторонние не узнали про его тайну. И я предложила, что буду забирать мази и экстракты к себе домой, а он будет приходить ко мне, потому что живу я одна и никто нас не потревожит.

— А как же ваш любовник? Антон?

— К этому времени мы с ним уже расстались. Я же вам говорила.

Инга не знала, верить ей этой женщине или нет. Алена намекала ей на охлаждение между ней и мужем. Но Инга полагала, что речь идет о проблеме исключительно духовной и касающейся эмоциональной сферы отношений супругов. Однако теперь становилось ясно, что проблема забралась уже и в кровать к ним.

— Да-а-а... — протянула она. — Теперь мне многое становится понятным.

— Только помните: вы дали мне клятву! Никому ни слова! Василий Петрович хороший человек. Он совсем не заслужил такой беды. Но вы понимаете, мне такой мужчина совсем не нужен. Все женщины в нашем роду были чрезвычайно любвеобильны. И я не исключение. Но даже если мужская сила и вернется к Василию Петровичу, боюсь, это будет лишь временный эффект. А я не могу рисковать. Я уже не девочка, мне нужно как можно скорей подыскать себе мужа, с которым я могла бы быть счастлива очень долгое время. Понимаете, о чем я говорю?

Инга пожала плечами. Для нее секс никогда не являлся первостепенной вещью. Но разным женщинам и нужно разное. Если Марина не может и дня прожить без любви, что же, пусть идет своей дорогой. А Инга пойдет своей.

— Ну, желаю вам удачи в ваших поисках, — произнесла она и повернулась, чтобы уходить.

Но Марина ее удержала.

— И кстати, насчет галлюциногенных растений, их ведь огромное количество.

— Я знаю.

— Кактус пейотль, — не успокаивалась Марина, — и псилоцибиновые грибы, о которых вы говорили, лишь одни из наиболее популярных средств. Но существует длиннейший список растений и грибов, способных также вызывать изменения в сознании. Многие виды акаций, мухоморы, африканские лианы, корни, листья... Всего и не перечислишь.

— И что?

— Вам нужно сначала установить, что именно было добавлено в питье, а потом попытаться найти поставщика наркотика. Этих продавцов, я уверена, не так уж и много у нас в стране. Довольно часто они распространяют свой товар через Интернет. Если вы будете знать, что именно искать, то найдете эту вещь очень быстро.

Инга поблагодарила Марину за ее совет. Еще раз пожелала ей удачи в труде и личной жизни и вышла наконец на улицу. Почему-то при мысли, что ей не придется потратить целый день на возню с пробирками, колбами и экстрактами, настроение у нее здорово поднялось.

Выйдя на улицу, Инга зажмурилась от яркого солнца, ударившего ей в глаза. Стоя с закрытыми глазами, она внезапно услышала справа от себя гудок автомобиля. Испугавшись, что она мешает кому-то проехать, Инга отпрыгнула назад, но гудок повторился вновь. Пришлось взглянуть, кто там такой настойчивый.

Игорь махал ей рукой из щегольского беленького «Мерседеса» с откидным верхом. Сейчас погода позволяла ездить без крыши, так что мужчина выглядел очень впечатляюще за рулем своей шикарной машины.

— Привет! — помахал он снова рукой Инге. — Садитесь!

Посмотрите на этого предателя! Слил весь их совместный план распутной Марине и еще смеет разговаривать с ней! Инга была рассержена на Игоря тем больше, что сама положила глаз на этого красавчика. Да и он вроде бы проявлял интерес к ней. Но появилась любвеобильная Марина, и Игорь моментально переключился на нее. Может быть, в словах Марины что-то и есть? Может быть, секс для мужчин куда важнее духовного общения с понравившейся ему женщиной?

Повернувшись, Инга гордо расправила плечи, подняла голову и пошла прочь. Но Игорь не отставал. Заведя машину, он догнал Ингу и пристроился рядом с ней. Ехал он медленно, все время поглядывая на женщину.

— Понимаю, вы на меня сердитесь, — произнес он наконец. — Марина вам все про нас с ней рассказала?

— Она рассказала, что вы мерзкий болтун, не способный удержать в себе чужую тайну!

— Зато я убедился, что Марина не виновна в том, в чем вы ее подозреваете.

— Это в чем же?

— Ваш Василий Петрович ей совершенно не интересен!

Это было уже чересчур! От негодования Инга даже остановилась:

— Она вам и про Василия Петровича рассказала?

Игорь тоже затормозил и произнес:

— Зачем мне что-то рассказывать? Если Марина была со мной этой ночью, значит, она не заинтересована в муже вашей подруги. Вот и все. Такой простой вывод.

Как хорошо, он ничего не знает про неприятность, одолевшую Василия Петровича. Молодец Марина! Хоть кто-то умеет еще хранить чужие тайны.

— Ладно, сегодня-то чего вы прикатили? — все еще сердито осведомилась Инга у Игоря. — Если только для того, чтобы рассказать мне о том, что наш с вами план провалился, то благодарю, не стоило. Я это уже и сама поняла!

— Вижу, что вы на меня сердитесь, — покачал головой Игорь. — Но, право, не стоило. Марина — это такая женщина... такая... Я мечтал о такой всю свою жизнь!

— Вы?

— Да, я.

— Ну и мечтайте, пожалуйста, дальше. Мне-то что с того?

— Я не только мечтать о ней буду, я жизнь ради нее отдам.

— Мне-то вы это зачем говорите? Это ваши с Мариной личные дела, мне они безынтересны!

Инга приготовилась идти дальше, но Игорь ее вновь остановил.

— Погодите, у меня есть новости относительно вашей Нюши.

— Вы что-то узнали? А что?

— Садитесь в машину. Разговор нам с вами предстоит долгий.

На сей раз Инга не заставила себя долго упрашивать. Какие бы чувства ни обуревали ее по поводу поступка Игоря, делу, как говорится, время, потехе час. Игорь мог быть ей полезен в расследовании, в которое она впуталась. И значит, нечего и рассуждать.

Инга быстренько уселась в машину и нетерпеливо спросила:

— Ну, что вам удалось узнать?

— Первым делом скажу, что вы были совершенно правы. Нюша — она никакая не племянница вашему Ване.

— Так я и знала! — воскликнула Инга. — Я чувствовала, что между ними отношения совсем не как у дяди и племянницы.

— Девушка не имеет никаких общих родственников с Иваном.

— А он сам? Он знал, что она ему не племянница?

— Полагаю, что да. Начать с того, что у вашего Вани всей родни с гулькин нос. Бывают многодетные семьи, в которых числа нету многочисленным кузенам, кузинам, а троюродным братьям и дядям счет вообще не ведут. Но тут дело иного характера. И ваш Ваня должен был точно знать, что у его единственной сестры, и то не родной, а двоюродной, есть лишь два мальчика и никаких дочерей не имеется и в помине.

— Да, про мальчишек-племянников он иногда упоминал, — вспомнила Инга. — Выходит, Нюша — его любовница?

— Ну об этом, я полагаю, вам лучше будет поговорить с ней самой.

— Обязательно займусь этим, как только приеду домой. Вы меня подкинете? Мне не терпится задать этой лгунье несколько вопросов.

— Я вам обязательно предоставлю такую возможность, но не раньше, чем вы выслушаете вторую новость.

— Еще одна новость? И какая же?

— Тот клок волос, который вы мне вручили, он не природного происхождения.

— Что это значит?

— Это искусственные волокна, предположительно выдранные из мехового одеяла или искусственной шубы.

Значит, Инга была права. В роще за Аленой погналось вовсе не какое-то неизвестное науке чудовище, а переодетый в лохматый костюм человек.

— Спасибо, — поблагодарила она Игоря.

— Но это еще не все, что мне удалось узнать.

— Что же еще?

— Экспертам, занимающимся делом Марии Петровны, удалось выяснить, какой именно препарат был использован при ее отравлении.

— Да вы что? Серьезно? Как же вам удалось добиться от них этого? Наверное, потребовалась дополнительная экспертиза, какие-нибудь добавочные анализы?

— Вы не поверите, это стоило мне всего лишь коробки хороших конфет, бутылки коньяка и сентиментального рассказа о любви двух несчастных стариков. Рассказывая их историю, я до того расчувствовался, что невольно расплакался и сам.

Слова Игоря показались Инге несколько циничными. Тем более что сейчас у него на глазах не было ни слезинки, наоборот, он выглядел деловитым и собранным. Но Инга опять напомнила самой себе, что обуревавшие Игоря чувства не должны ее касаться. Ей он полезен в качестве эксперта, вот и все.

— И что за растение? — полюбопытствовала она.

— Это мексиканский кактус.

— Все-таки это пейотль?

— Совершенно верно. Кактус богат мескалином, который и был выделен из него. Именно это вещество вызывает у людей галлюцинации.

— Но каким образом мексиканский мескалин попал к нам в Россию?

— Думаю, что груз прибыл из США. Однако груз эксклюзивный. Не думаю, что мексиканской дурью торгуют на всех углах. Если и есть несколько торговцев, то число их весьма ограниченно. А вернее всего, что продавец только один.

Примерно то же самое сказала Инге и Марина. И теперь Инга жадно осведомилась у Игоря:

— И вы знаете, кто этот негодяй?

— Нет, но у меня есть идея, как выйти на продавца мескалина.

— Дадите объявление в Интернете?

— Вообще-то я хотел обратиться за помощью к моим друзьям в отделе по борьбе с противозаконным оборотом наркотиков. Но спасибо за эту идею, я обязательно воспользуюсь и ею тоже.

К этому времени они уже почти доехали до усадьбы. Выходя из машины, Инга не удержалась и сказала:

— Благодарите Марину. Это ее идея, а вовсе не моя. Так что, по большому счету, вы могли бы ко мне и не приезжать вовсе. Все, что нужно, вам сказала бы сама Марина.

— Но вы поговорите с Нюшей? Спросите о ее отношениях с Ваней? Все-таки они утром вместе приехали к вам в усадьбу. Возможно, за время пути Ваня поделился с Нюшей какими-то опасениями или догадками о том, кто может желать ему зла. Спросите?

— Конечно.

— А сообщите мне о результатах вашего разговора?

— Вам-то зачем? Вы же вроде бы ищете преступника, отправившего на тот свет вашу тетю! Вот и ищите его. При чем тут Нюша и Ваня?

— Никогда нельзя сказать точно, кто есть кто в истории, которая еще не завершилась.

— Опять эти ваши философские штучки! — вспыхнула Инга. — Объясняю: Нюше ваша тетя была никем и ничем. Они были между собой едва знакомы. Зачем Нюше было убивать Марию Петровну?

— И все же смерть наступила именно на празднике этой вашей Нюши, — сказал Игорь. — Это не может быть простым совпадением.

Инга сдалась. В конце концов, что она взъелась на этого Игоря? Ну переспал он прошлой ночью с Мариной, так что с того? Марина — знойная женщина, любой мужчина может о ночи с такой красавицей только мечтать. И вообще, если Марина теперь занята Игорем, то последние сомнения в верности Василия Петровича отпали.

И, смягчившись, Инга пригласила Игоря с собой в дом.

— Пойдемте вместе со мной и сами услышите, что скажет эта лгунья.

Поняв, что он прощен, Игорь шустро выпрыгнул из своей машины. Он даже попытался взять Ингу под руку, но это показалось той лишним, и она высвободилась, еще не дойдя до дома. Однако он не сдавался. И теперь он не просто взял Ингу под руку, но пошел еще дальше и обнял ее за талию.

— Оставьте, пожалуйста! — возмутилась Инга. — Вы же спали прошлой ночью с Мариной. Совсем недавно вылезли из ее постели.

— И что с того? Мы с ней взрослые люди, надо же нам было как-то скоротать время.

— Ну а меня-то вы зачем теперь обнимаете?

— Нравится, вот и обнимаю. Скажите честно, разве вам самой это не по душе?

— Мне?.. Мне — нет!

Но говоря так, Инга и сама не была вполне уверена в своих чувствах. Конечно, ночью Игорь переспал с другой женщиной, но при этом утром он искал именно ее — Ингу. Да и вообще он забавный и, судя по всему, совсем не так уж равнодушен к ней, как это ей показалось.

— Марина — легко доступный товар, — прошептал Игорь. — А вы... Вы — уникальная. Чувствую, что за обладание вами мне еще придется сильно побороться.

— Еще недавно вы восхищались Мариной.

— Ах, это исключительно для того, чтобы подразнить вас, моя прелесть, — улыбнулся в ответ Игорь. — На самом деле я не испытывал к ней и десятой доли того интереса, какой испытываю к вам.

Ну и что делать с таким человеком? Он сам прекрасно все понимает, но при этом совершенно не видит ничего плохого в том, как поступает. Инга махнула рукой на все эти сложности. Если Игорю нравится ее обнимать, она не против. Руки у него мягкие и теплые, и обнимает он ее очень нежно. Пожалуй, Марина права: Игорь знает, как обращаться с женщинами, и знает, как доставить женщине удовольствие.

ГЛАВА 11

Когда Инга уходила из дома, то все еще спали. Сейчас же было время завтрака, и Василий Петрович с женой сидели в столовой. Когда Инга в обнимку с Игорем вошли в дом, то оба супруга удивленно уставились на них.

— Привет, — первой выдавила из себя Алена. — А чего это вы... Вдвоем...

— Я вышла прогуляться с утра и встретилась с Игорем.

И прежде чем Алена успела спросить у нее еще что-либо, Инга быстро произнесла:

— Знаете, что он мне рассказал?

— Что?

— Оказывается, наша Нюша никакая не племянница Вани! Теперь можно совершенно точно утверждать, что девушка лгала нам все это время.

Алена вытаращила глаза. А вот Василий Петрович отреагировал несколько иначе. Пожалуй, он был сильно смущен словами Инги, но вот являлась ли эта новость для него действительно новостью? Инга совсем не была в этом уверена. Свои глаза Василий Петрович опустил, так что прочесть по его лицу она ничего не могла.

Зато Алена отреагировала именно так, как и ожидала Инга:

— Откуда такие сведения?

— Игорь навел справки.

— Это достоверно? — повернулась Алена теперь уже к Игорю.

— Абсолютно, — кивнул тот. — Если между Нюшей и Иваном даже и существуют родственные отношения, то они настолько отдаленные, что считаться родством вряд ли могут. Во всяком случае, мне не удалось установить ни единого общего предка у этих двоих. Разве что если подобраться ко временам Адама и Евы, тогда можно было бы нащупать тоненькую ниточку.

Алена взглянула на мужа.

— Вася! Ты слышишь, что он говорит? Ваня нас обманывал! Нюша ему совсем не родственница!

Но Василий Петрович лишь невозмутимо кивнул в ответ:

— Да, я знаю это.

— Знаешь?!

— И всегда знал.

Теперь глаза у Алены сделались и вовсе как плошки.

— Знаешь? — повторила она. — Но почему ты ничего не сказал мне об этом?

— Алена, я собирался...

— Когда? Когда ты хотел это сделать?

— Я собирался, честное слово. Но все как-то не находилось подходящего момента.

— Серьезно? — нахмурилась Алена. — И какой же подходящий момент тебе был нужен? Уж не тот ли, когда я говорила тебе открытым текстом, что у Нюши с нашим Ваней не иначе как роман и что никакая она ему не племянница? Может быть, этот момент был для тебя подходящим? А?

Алена выглядела такой разгневанной, что Инга затрепетала. Быть между этими двумя очередной ссоре. Ох, как это некстати! Алена с ее Василием Петровичем и так как кошка с собакой цапаются. И зачем еще они с Игорем полезли с этими откровениями? Какая, в сущности, разница, что за отношения были у Вани и Нюши? Это теперь всем должно быть совершенно безразлично.

Инга схватилась за голову и простонала:

— Надо было промолчать.

А между тем назад вырвавшихся слов было не вернуть. Алена уже активно ссорилась со своим мужем. И, как полагала Инна, именно по ее вине.

— Ты постоянно мне лжешь! — кричала на мужа Алена. — В последнее время я вообще не понимаю, что с тобой происходит!

Она была в такой ярости, что уже не обращала внимания на присутствие в комнате посторонних людей, замершую неподалеку повариху и прочую прислугу, притаившуюся в дверях.

— Думаешь, жена у тебя слепая и глухая? Думаешь, я ничего не замечаю? Нет, я все вижу! И вижу, что у тебя появилось от меня слишком много тайн.

— Алена, — бормотал Василий Петрович, — я тебе сейчас все объясню. Что касается Нюши...

Но Алена перебила его:

— Не в одной Нюше дело! Ты о многом мне недоговариваешь или откровенно лжешь!

— Я тебе все расскажу, обещаю!

— Прямо сейчас!

— Ну... хорошо. Что ты хочешь узнать? Откуда я знаю, что Нюша не является родственницей нашего Вани?

— Да, я слушаю тебя.

Василий Петрович глубоко вздохнул и пробормотал:

— Дело в том... дело в том, что Нюша...

И, так и не договорив, снова затих.

— Да что же это! — разозлилась на мужа Алена. — Опять начинается?

Лицо у Василия Петровича сделалось откровенно страдающим. Он понимал, что должен успокоить жену, но в то же время опасался, как бы не сделать еще хуже.

— Ну! Я жду!

Василий Петрович вздрогнул, потом набрал в легкие побольше воздуха и произнес:

— Дело в том, что Нюша... Нюша — это...

Договорить он так и не успел.

— Доброе утро! — раздался голосок Нюши.

Все как по команде повернулись в ее сторону и уставились на девушку. Она была все еще бледна, но выглядела гораздо лучше, чем вчера. Увидев устремленные на нее со всех сторон взгляды, девушка смутилась:

— Что? Что вы так на меня смотрите?

Все молчали. И тогда Инга произнесла:

— Нюша, мы знаем правду про тебя.

— Правду?

— Мы знаем, что ты не родственница Ване.

— Ты ему никакая не племянница!

Нюша слегка порозовела. Она вопросительно взглянула на Василия Петровича. Но тот молчал. И Нюша, посмотрев на хозяйку, пробормотала:

— Простите... простите, что мы вас обманули.

— Мы? Кто это — мы?

Нюша снова вопросительно взглянула в сторону Василия Петровича. И на сей раз он отмалчиваться не стал.

— Мы — это я, покойный Ваня и Нюша.

— И кто же такая Нюша на самом деле? Скажет мне это кто-нибудь из вас?

— Нюша не племянница Ване, но она... она дочь его... его очень близкого друга.

Откровенность далась Василию Петровичу нелегко. Хотя с чего бы ему так смущаться? В сказанном им не было ничего предосудительного.

Но Алена никак не могла успокоиться:

— Как имя друга Вани? Что это за человек?

— Неважно, — отвел глаза Василий Петрович. — Это... это его бывший однополчанин. Он спас Ване жизнь, а Ваня, в свою очередь, решил приютить у себя дочь своего друга — девочку, оставшуюся без попечения родителей. Никакой другой родни у нее нет, вот она и обратилась за помощью к Ване.

— Выходит, Нюша — круглая сирота? — пробормотала Инга, чувствуя, как в ней растет и ширится жалость к девушке.

Бедная девочка, сколько же ей пришлось перенести! Тут и смерть родителей, и переезд к чужим ей, в сущности, людям. И еще Инга подумала о том, какие, оказывается, у людей бывают все-таки высокие и благородные отношения. А они-то, низкие души, накинулись на Ваню с Нюшей. Облили грязью и подозрениями. Как стыдно! Человек сделал доброе дело, а они отнеслись к нему как к последнему грешнику.

Видимо, аналогичные чувства испытывали и другие. Все, кто слышал этот разговор, переглядывались теперь между собой в сильном смущении.

— Прости нас, Нюша, — искренне произнесла Алена первой. — Мы подозревали тебя...

— Подозревали черт-те в чем!

— Подозревали, что вы с Ваней любовники, а вы... а у вас...

Алена окончательно смутилась и не договорила. Зато Нюша улыбнулась в ответ. Правда, улыбка у нее получилась чуточку кривоватой, но все же лучше, чем вчерашние слезы.

— Значит, вы все-таки решили, что мы с Ваней любовники? Как жаль, значит, наша маскировка под дядю и племянницу никуда не годилась.

— Да, кстати, что это была за маскировка? Зачем она вообще понадобилась? Почему нельзя было всем сказать правду?

— Я и хотела, — оправдывалась Нюша. — Но дядя Ваня сказал, что будет лучше, если я назовусь его племянницей. Это снимет толки, потому что если сказать правду, то люди начнут думать дурное о нас с ним.

— Дурное? Думать? А так разве мы не начали думать о вас с ним дурное?

— Но мы старались как могли. Хотя, конечно, я все понимаю: молодая девушка, взрослый мужчина... Люди так испорчены.

Странно было слышать такое замечание из уст молодой девушки. Видимо, Нюше, несмотря на ее юный возраст, в жизни выпало много испытаний, если уж у нее сложилось такое мнение о людях.

— Объяви мы всем, что являемся по крови чужими друг другу, нас бы обязательно стали считать с самого первого дня любовниками.

— А между вами ничего такого не было?

— Нет!

Нюша воскликнула это очень горячо и пылко.

— Я очень любила дядю Ваню... Прямо как своего отца. А он... он любил меня, как родную дочь. И... и если хотите знать, то дядя Ваня любил совсем другого человека! Вас!

И она в упор посмотрела на Ингу. Та смутилась и покраснела. Да еще мерзавец Игорь присвистнул в этот момент:

— Вон оно как!

— Это уже неважно, — поспешно произнесла Инга. — У нас с Ваней тоже ничего и никогда не было. И вообще сейчас надо подумать о его похоронах, а не о глупостях, которые были в далеком прошлом.

Василий Петрович, который к концу Нюшиного объяснения совсем приободрился и порозовел, первым провозгласил:

— Ну теперь, когда все наконец выяснилось и прояснилось, предлагаю отметить это дело семейным завтраком и отправиться по своим делам.

— А как быть с похоронами?

— Я считаю, что Ваню надо похоронить у нас в Дубочках.

— Нет!

Это вскричала Алена. В голосе ее было столько экспрессии, что все с изумлением повернулись к ней.

— Что такое?

— Почему ты не хочешь, чтобы Ваню похоронили тут?

Алена смутилась, но быстро нашлась с ответом:

— У нас в Дубочках нету подходящего места.

И действительно, то кладбище, которое имелось здесь прежде, пребывало в печальном состоянии.

Большинство могил стояли забытые и заброшенные, родственники и близкие этих людей либо умерли сами, либо уехали куда-то очень далеко. Те же многочисленные новые жители, которые приехали в Дубочки, когда тут обосновался Василий Петрович, на местном кладбище своих покойников пока что не имели, поэтому туда и не ходили. В итоге дорожки и даже частично могилы густо поросли сорняками и кустарником, который вел себя так нагло, что в ближайшее время угрожал заполонить собой все кладбище.

— Хоронить там Ваню никак нельзя! Он достоин лучшего! Кладбище надо сначала привести в порядок.

— Ты права, Алена. Я предлагаю старое кладбище привести в порядок, но рядом с ним открыть еще одно — новое. И первым его обитателем будет наш Ваня. Как ты считаешь? Мне кажется, это достаточно почетно, а?

Алена пыталась что-то возразить мужу, но Василий Петрович уже никого не слушал. Как это частенько бывало с ним, он мгновенно и всерьез углубился в обдумывание своей идеи, пришедшей ему в голову под воздействием минутного вдохновения.

— И памятник, — бормотал он себе под нос. — Что-нибудь этакое героическое в духе памятника защитникам Родины. Предположим, Ваня высовывается из земли по пояс, в руке у него автомат Калашникова, а на голове каска.

— Каска-то зачем? Назови лучше кладбище его именем.

— Точно! — обрадовался Василий Петрович. — Перед памятником сделаем памятную табличку.

— А памятник тогда можно поставить перед самым входом. Ваня держит на руках маленькую Нюшу. Есть же такой памятник советскому солдату.

Василий Петрович покосился на жену, словно опасаясь, что она издевается над ним. Но Алена выглядела совершенно серьезной. И в ответ на взгляд мужа произнесла:

— Мне кажется, Ваня заслужил своей добротой и отзывчивостью к сиротке именно такой памятник. Он так нежно опекал Нюшу, что мы невольно впали в обман насчет истинных его чувств к ней.

Василий Петрович покивал. А сама Нюша в этот момент неожиданно разрыдалась и кинулась вон из комнаты. Но никто теперь не удивился ее слезам и не осудил Нюшу. Девушка переживала смерть своего опекуна, тем более что она последовала за смертью ее собственных родителей так удручающе быстро.

Алена побежала за ней, впрочем, не забыв положить в тарелку порцию омлета, к которому добавила ветчины, сыра, колбасы и несколько пластов белого хлеба.

— Может быть, девочка захочет перекусить, — пробормотала она в свое оправдание и исчезла.

Василий Петрович тоже ушел следом за своими. И в столовой вновь остались лишь Инга и Игорь.

— Подумать только, как мы все ошибались, — произнесла Инга, обращаясь к Игорю. — Не правда ли, мы едва не совершили чудовищную ошибку? Набросились на бедную девочку, а она ни в чем не виновата.

Однако Игорь не захотел поддержать разговор на эту тему. Более того, он единственный из всей компании не ударился в сентиментальность. Лицо его было хмурым и задумчивым.

— Чем вы теперь недовольны? — поинтересовалась у него Инга. — Все же разъяснилось? Нюша объяснила свое положение в доме у Вани. Василий Петрович его подтвердил. Но вы опять не удовлетворены.

— А сказать вам почему?

— И почему же?

— Именно потому, что все так быстро разъяснилось, я и не доволен. Я надеялся, что правда о Нюше поможет мне выйди на след убийцы Марии Петровны. Но вот теперь мы знаем правду о девушке, и она никак мне не поможет!

Игорь вышел на улицу, потому что его окликнул Василий Петрович. Но стоило ему выйти через одну дверь, как из другой почти в ту же секунду появилась Алена. В руках у нее была пустая тарелка, и Инга удивилась:

— Нюша все съела?

— Что?

— Ты носила ей завтрак, — напомнила ей Инга.

— Ах да, конечно, она поела. Теперь бы еще чаю... побольше и послаще... И бутербродик бы еще хорошо сделать...

Инга внимательно посмотрела на Алену. Почему подруга не выглядит довольной? Почему она снова чем-то озабочена?

— Ты выглядишь какой-то очень задумчивой.

Алена отложила приготовление чая. Она отставила в сторону от себя заварочный чайник, взглянула на Ингу и неожиданно произнесла:

— Я не верю этой девушке!

— Нюше?

— Да, я ей не верю.

— Почему?

— По-моему, она врет.

— Почему врет? — оторопела Инга.

— По крайней мере, в той части, которая касается ее отца, девчонка точно врет.

— Но почему?

— По документам у нее нет отца!

— Как? — изумилась Инга. — Разве такое может быть?

— Разумеется, какой-то мужчина, конечно, ответственен за ее рождение. Но в документах девочки это никакого отражения не нашло. Имя ее папаши до сих пор не известно истории. Ее воспитывала мать-одиночка.

— Но откуда ты это знаешь?

— Думаешь, я совсем простушка? Конечно, я разузнала о девчонке все, прежде чем позволить ей стать моей личной горничной.

— Но каким образом?

— Забралась к Ване в дом и, воспользовавшись отсутствием Нюши, порылась в ее вещах.

— Алена!

— Знаю, что поступила не очень-то красиво. Но зато я видела ее паспорт и свидетельство о рождении. Там нету ни слова об отце девочки.

— Так и что с того? — заступилась Инга за горничную. — Возможно, она имела в виду своего приемного отца. Он растил девочку, а удочерить ее по всем правилам не удосужился. Но когда он умер, то поручил Ване — своему другу и однополчанину — позаботиться о своей приемной дочери.

— Просто какая-то дочь полка получается, а не Нюша. Тот ее усыновил, этот ее пригрел... Ты как хочешь, а мне это очень не нравится.

Говоря откровенно, Инге тоже не слишком нравилось. Но она промолчала, не желая еще больше провоцировать Алену. Да еще в этот момент с улицы донесся голос Игоря. И Инга, мигом забыв про Алену, поспешила на зов.

Но оказалось, что Игорь всего лишь хотел с ней попрощаться.

— Я уезжаю, но я обязательно вернусь, — тоном Карлсона из сценки с Фрекен Бок сказал он.

— Вы собирались заняться поставщиком пейотля, — напомнила Инга кавалеру. — Так что не очень-то расслабляйтесь.

Это сыграло свою роль. Игорь моментально выбросил из головы мысли про Ингу и свое возвращение к ней и сосредоточился на обдумывании новой цели. Все-таки мужчины очень примитивные существа. Что им в голову положишь, над тем они и думают. Больше уже ни о чем. Даже самые лучшие из них в состоянии продуктивно раздумывать всего лишь над одним делом.

Вот и Василий Петрович, сосредоточившись на восстановлении кладбища и сооружении памятника для Вани, совсем забыл и про Нюшу, и про другие свои неприятности. Да и Игорь, едва наметил новую цель, забыл о своих прежних подозрениях. Не факт, что мужчины потом не вернутся к прежним мыслям, но это будет явно не сейчас.

Проводив, а правильнее сказать, выпроводив своего гостя, Инга вернулась в столовую, где уже не нашла Алены. Прикинув, где та может быть, Инга отправилась на поиски подруги. Она решила идти на звуки Нюшиных рыданий, предполагая, что Алена будет где-нибудь поблизости, но, к ее удивлению, Нюша рыдала на кухне, а Алены там не было.

Возле Нюши стояли служанки и повариха, которая гладила девушку по голове и мерно гудела:

— Ничего, девка, ничего... Всякое в жизни бывает... У меня вот батя тоже помер, да еще пил перед смертью так, что мы с матерью бога молили, чтобы он нас поскорее от этого чудовища освободил. Муж мне тоже пьяница попался, пил, пока не помер. А тебе все хорошие люди попадаются. Даст бог, замуж тоже удачно выйдешь за хорошего парня. Есть у тебя кто на примете-то? А?

Нюша помотала головой. Но одна из горничных воскликнула:

— Вы ее не слушайте, тетя Галя. Есть у нее парень.

В тот же миг Нюша перестала рыдать и затихла. Глаза ее блестели, а взгляд был прикован к лицу проговорившейся девушки.

— Правда, что ли? — обрадовалась повариха, вновь затеребив Нюшу. — Вот и славно! Хороший парень-то? Слышь, Нюшка, тебя спрашиваю! Хорош жених-то?

— Никого у меня нет, — шмыгнула носом девушка.

— Не стесняйся, Нюша, — дружелюбно произнесла та же девушка. — Никто тебя ругать за это не станет. К нам всем кавалеры из Буденовки захаживают.

— Так он из Буденовки, — разочарованно протянула повариха. — Нет, девки, если из Буденовки кто, так это дело несерьезное. Там же они все приезжие, им только развлечения на лоне природы и нужны.

Поиграются с вами, да и бросят. К своей городской жизни вернутся и к городским барышням.

— Никого у меня нет! — буркнула Нюша в этот момент. — Ни из Буденовки, ниоткуда.

— А с кем же ты у консервной фабрики на стройке встречаешься? Я тебя там видела с парнем. Блондинчик такой. Лица я толком не разглядела, но по одежде видно, что он не местный. А значит, что? Значит, он из Буденовки.

— Не помню никого, — покачала головой Нюша. — Давно это было?

— Да уж недели две назад.

— Не помню, — снова вздохнула Нюша. — Наверное, случайный кто-то ко мне подошел.

— Я тебя спросила в тот же вечер, — не сдавалась девушка, — а ты сказала, что это твой знакомый из Буденовки.

— А! Вспомнила! — воскликнула Нюша. — Это Коля был, мы с ним в маршрутке познакомились, когда я в город ездила на курсы. Нет, у нас с ним ничего нету, и вообще он уже уехал давно. Попрощаться ко мне заходил.

Инга потеряла интерес к беседе и повернулась, чтобы уйти так же незаметно, как и появилась. Но внезапно до ее слуха донесся голос поварихи тети Гали:

— Эх, девки, ладно слезы-то попусту лить. Вот что я вам сейчас расскажу, закачаетесь и попадаете.

Голос поварихи звучал настолько загадочно, что Инга невольно притормозила. А девушки на кухне наперебой закричали:

— Что, тетя Галя?

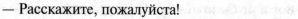

— Расскажите, пожалуйста!

Повариха не заставила себя долго упрашивать и произнесла:

— Хозяйка-то наша с вами, Алена Игоревна, не иначе как мужчину себе завела.

Инга окаменела. А на кухне разворачивалось дальнейшее действие.

— Что?

— Как?

— Откуда вы это взяли, тетя Галя?

Все три девушки искренне заинтересовались словами поварихи. Не стала исключением даже запла-канная Нюша, которая тоже продемонстрировала интерес. Про Ингу и говорить было нечего. Она вся превратилась в слух, пытаясь понять, откуда у всегда лояльной к хозяевам поварихи взялись основания для такой невероятной сплетни.

— А намедни, вчерась то бишь, возвращаюсь я с огорода, зелень там рвала да огурцы, и вижу: в спальне у нашей хозяйки будто бы маячит кто-то. Присмотрелась — фигура такая осанистая, плечи широкие. Ну совсем как наш покойный Ванечка. На минуту я даже подумала, не он ли там. Да в ту же минуту и вспомнила, что погиб друг сердечный.

— Наверное, хозяин там был.

— Нет, хозяин в город уехал, насчет бедного Вани дела улаживать. А хозяйка дома была. И не одна, как я понимаю. С мужчиной.

— Наверное, вам показалось, тетя Галя.

— Как же, показалось! Не жалуюсь я на зрение. А мужик этот, как меня увидал, — мигом шмыг от окна.

— Вот и не было ничего. Померещилось вам.

— Я тоже так сначала подумала. Глаза еще протерла, а потом осторожненько так к дому подошла, да и посмотрела, что там под окошком делается.

— И что?

— А то! Помните, как спальня-то расположена?

— На втором этаже.

— Да хоть и на втором этаже, а только перед ней балкон огромный.

— Терраса.

— Пусть так. Но к террасе этой из сада колонны металлические поднимаются.

— Правильно, на них терраса и находится.

— И до того эти колонны затейливо украшены, я всегда говорила, что лишнее это, да еще виноградом увиты, что очень даже легко по ним в спальню к хозяйке забраться можно.

— И что? Думаете, мужчина по этим колоннам залез?

— Там и я бы сама залезла. Ну, если бы сбросила десяток кило, точно залезла бы. А если он мужчина молодой, сильный, очень даже запросто взлетел бы в спальню к хозяйке.

На какое-то время в кухне стало тихо. А потом одна из девушек сказала:

— Это вы себе фантазируете, тетя Галя. Никогда не поверю, чтобы хозяйка изменила своему мужу. Она его сильно любит.

— Любила. В последнее время спать-то они врозь начали. Да еще забыла сказать, почему не почудился мне мужик этот. Следы его я прямехонько под окнами спальни видела. Земля там мягкая, под цветы перекопана. И я заметила, что следы на ней.

— Точно мужские следы?

— Да уж не женские. Размерчик обуви тот еще. Сорок пятый, никак не меньше.

Инга, слушая рассказ поварихи, медленно выпадала в осадок. Значит, ее подозрения все-таки правомочны? И причины разлада супругов в том, что не только у Василия Петровича появились интересы на стороне, но и у самой Алены есть другой мужчина? Поверить в такое казалось невозможным, но как быть со свидетельскими показаниями?

— Что же она, совсем страх потеряла? — приступили между тем к обсуждению услышанной новости горничные. — Прямо в доме с любовником встречаться?

— Под самым носом у законного мужа! Это же опасно!

— Уж когда женщине захочется мужика, она на всякие глупости ради него готова.

— А я все равно не верю, будто у Алены Игоревны есть другой мужчина, — послышался голосок Нюши. — Вы, тетя Галя, чего-то неправильно поняли.

— Чего тут не понять, финтифлюшка ты этакая? — рассердилась на нее повариха. — Видела мужчину, так и говорю, что видела. Только вам одним говорю, потому держите теперь язык за зубами. И вот еще что... Хозяйка-то после меня к себе позвала, да и допытывалась: мол, не видела ли я кого в ее спальне. Ну я ей и сказала, что видела вроде как. А она мне и говорит, что ей тоже показалось, будто кто-то к ней заходил.

— А вы чего?

— А чего мне? Сделала вид, что поверила ее словам.

— Так, может быть, это и впрямь кто-то с недобрыми намерениями приходил.

— Ага! Как бы не так! Коли с недобрыми намерениями, хозяйка бы прямиком к Василию Петровичу побежала за помощью и первая его в известность поставила. А она нет. И мне еще денег сунула и попросила, чтобы я язык за зубами держала. А перед этим она еще на кухню пришла, взяла кусок мяса холодного, горчицы, кетчупа — и все к себе забрала.

— Неужели мужчину этого угощала?

— Вот и я о том же подумала. И самое главное, денег мне сунула, чтобы я молчала. А зачем бы ей так делать, если бы она ни в чем не виновата была? То-то и оно, что незачем. А значит, я права и у хозяйки там любовник был. Поняли теперь?

— Да.

— Поняли.

— Ну и поклянитесь, что молчать будете.

— А надо? — спросила одна из горничных. — Может, хозяину правду следует сказать?

— Или с самой хозяйкой поговорить, — предложила вторая.

— Ишь, чего удумали! — разозлилась на них повариха. — Учтите: проговоритесь хозяину или хозяйке — я мигом ото всех слов отопрусь, вы же за сплетни из этого дома мигом вылетите.

И так как обе горничные и Нюша молчали, явно не решаясь напомнить строптивой поварихе, что это она сама завела этот разговор и принялась сплетничать, тетя Галя заговорила вновь. И на сей раз ее голос звучал наставительно, как и следует говорить старшей с младшими:

— В браке у людей, девки, всякое случается. А Алена Игоревна — женщина хорошая и хозяйка справедливая. Если она уйдет, следующая-то еще невесть какая на ее месте окажется. А от добра, как известно, добра не ищут. Да и мир в доме завсегда лучше ссоры. Ну клянитесь, кому я сказала!

Горничные поклялись, что никому и ничего не расскажут, но у Инги были сильные сомнения в этом. Ведь и сама тетя Галя клялась Алене в том, что будет молчать. Но вот не прошло и дня, как она разболтала все горничным и Нюше. Те, в свою очередь, тоже не удержатся, и пойдет гулять сплетня по Дубочкам. Погуляет, погуляет, да и вернется в этот дом, прямехонько к Василию Петровичу в уши.

И Инга вновь пустилась на поиски Алены. На сей раз она действовала куда активней. Но нигде, даже в спальне подруги, ее присутствия не обнаружилось.

— Где же она?

Инга в изумлении обвела глазами пустую комнату, словно стены могли рассказать ей о том, куда подевалась Алена. Но они, разумеется, ничего ей не сказали. Зато внимание Инги привлекло к себе нечто блестящее, лежащее на столике возле зеркала. Женщина подошла поближе, и глаза ее расширились от изумления.

— Ничего себе! — прошептала она. — Вот это да.

Наклонившись и убедившись, что ее догадка верна, Инга еще больше восхитилась:

— Ах она хитрюга!

В голове у Инги в этот миг сложились многие ответы на вопросы, казавшиеся ей до сих пор необъяснимыми и какими-то странными, выбивающимися из обычного ритма. Силуэт мужчины в спальне у Алены. Ее стремление к уединению. Заполненные до краев тарелки с едой, которые она забирала с собой в сад.

— Кажется, я поняла! — радостно воскликнула Инга и даже подпрыгнула на месте от избытка чувств. — Только бы это оказалось правдой!

И, схватив со столика перед зеркалом вещь, которая настолько сильно поразила ее, женщина со всех ног кинулась вон из комнаты.

Она знала, куда направляется. Путь ее был совсем недалек. Инга быстро пересекла чудесный фруктовый сад, посаженный чуть больше десяти лет назад, но уже активно плодоносящий, и оказалась возле домика садовника. Внутри кто-то был, об этом свидетельствовали голоса, как показалось Инге, два голоса — мужской и женский.

— Алена! — закричала она, стукнув в дверь. — Открывай!

Никто не отозвался, тогда Инга добавила громкости:

— Алена, бесполезно притворяться, что тебя там нет. Я слышала твой голос!

Снова никакого ответа.

— Я никуда не уйду! — пригрозила Инга. — И более того, я еще сюда и других людей позову. Всем станет известна ваша тайна!

Это наконец сработало. Дверь приотворилась ровно на одну ладонь, и в просвете появилось недовольное лицо Алены.

— Чего ты кричишь? — сердито прошипела она. — Дай мне спокойно побыть одной!

— Нам нужно поговорить.

— Потом. Сейчас я не могу, — простонала Алена слабым голосом. — Я совершенно разбита!

— Еще полчаса назад ты выглядела абсолютно нормально.

— Ты не понимаешь... Смерть Вани... Это такое потрясение.

— Хватит притворяться. Со мной это не сработает!

— Наверное, ты совсем не любила покойного, если не горюешь о нем!

— Алена, перестаньте меня дурить! Я все знаю!

И с этими словами Инга вытянула вперед руку с тем предметом, который прихватила из спальни Алены. И покачав его перед глазами подруги, она воскликнула:

— Что скажешь? Откуда это у тебя?

— Это... это...

Алена сильно смутилась. Она явно не знала, что ей сказать.

— Это лежит у меня уже давно!

И так как Инга никак не отреагировала на это ее замечание, лишь выразительно сверлила подругу глазами, показывая, что на такую простую уловку точно не поддастся, Алена вздохнула и приоткрыла дверь.

— Ладно, заходи.

Алена признала свое поражение. Точно так же, как его признал и мужчина, сидящий за столом в глубине дома. При виде Инги он сначала вскочил на ноги, но тут же вновь уселся, вернувшись к прерванному им чаепитию.

— Доброе утро, Ваня, — поздоровалась с ним Инга. — И приятного тебе аппетита.

Жующий мужчина ничего ей не ответил на это приветствие, но Инга в том и не нуждалась. Она приблизилась к столу и с огромным интересом принялась разглядывать человека, которого она, да и не только она, а вообще все в Дубочках считали погибшим.

ГЛАВА 12

Выглядел Ваня для «покойника» очень даже хорошо. Щеки у него были румяные, кушал он с завидным аппетитом, а выражение его лица хоть и было задумчивым, но скорбным или трагичным его назвать было все же нельзя.

— Как вы узнали правду-то про меня, Инга?

Но за Ингу ответила Алена:

— Она твою цепочку с крестом нашла, Ваня.

— Где?

Теперь наступил Ингин черед отвечать:

— У Алены в спальне.

Ваня кинул на хозяйку осуждающий взгляд.

— Что же вы, Алена Игоревна, не прибрались-то после моего ухода? Я же сказал вам, повариха меня срисовала, надо нам поаккуратнее с вами шифроваться.

— Так я ей денег дала. Она обещала, что будет молчать.

— Не будет, — покачала головой Инга. — Только что слышала, как она на кухне горничным и Нюше рассказывала, что ты завела себе любовника и в отсутствие мужа принимаешь его у себя в спальне.

Алена на какое-то время потеряла дар речи, а потом всплеснула руками:

— Ну, тетя Галя! Прямо больная фантазия у человека!

— Можешь радоваться, Ваню она не узнала, но зато придумала себе целый любовный роман.

— Не знаю, радоваться или огорчаться. Если такие слухи до Василия Петровича дойдут, он рад не будет.

Но Ваня утешил свою хозяйку:

— Не переживайте, Алена Игоревна. К этому времени я уж «воскресну» и все Василию Петровичу самолично объясню.

Услышав это, Инга тут же откликнулась:

— А кстати, вы не хотите и мне тоже кое-что объяснить?

— Что?

— Все! И в частности то, как Ваня жив остался.

— Ну, это долго рассказывать, — попытался уклониться от ответа Ваня.

— И почему он прячется в домике садовника вместо того, чтобы идти к Василию Петровичу и обрадовать его? — наступала Инга на подругу. — Что тут у вас происходит?

— Сядь, Инга, не петушись. Прости, мы действительно должны были сразу же тебе все рассказать. Но возле тебя крутился этот подозрительный Игорь...

Здрасте, теперь и Игорь им не нравится!

— И вовсе он не подозрительный! — возмутилась Инга. — Он — юрист, если хотите знать, он ведет расследование обстоятельств смерти Марии Петровны. Это его Виктор Андреевич попросил.

— Серьезно? — хмыкнула Алена. — А вот мне Виктор Андреевич рассказал совсем другую историю.

— Это какую же?

— По его словам получается, что молодой человек сам позвонил ему и предложил свои услуги.

— Игорь его племянник.

— Какой-то дальний родственник, — поправила ее Алена. — И причем выяснилось это совершенно случайно. Живут они оба в Буденовке, снимают коттеджи по соседству. Как-то встретились на прогулке, разговорились. Игорь спросил, как звали родителей Виктора Андреевича. А потом удивился, сказав, что фамилия его деда была такой же. Нашлись еще какие-то детали, какие-то семейные легенды, которые Игорь подтвердил, заявив, что и в их семье их тоже рассказывали. И из этого возникло предположение о родстве между ними двумя. Вот и все.

— Так этого разве мало?

— Но при этом Виктор Андреевич, когда я его спросила, сказал, что совершенно не представляет, кем может быть Игорь. Человека, который был дедом Игоря, он среди своих родственников совершенно не помнит.

— Наверное, очень отдаленное родство, — заикнулась Инга, но Ваня и Алена продолжали чернить в ее глазах Игоря.

— А между тем этот Игорь заявил, что берется расследовать обстоятельства смерти Марии Петровны частным порядком исключительно из родственных чувств.

— И откуда же это у него взялся такой приступ альтруизма? Может Игорь это объяснить?

— В том-то и дело, что этого он Виктору Андреевичу объяснить не смог. Но так как денег за свои услуги не потребовал и обещал способствовать установлению истины, то Виктор Андреевич согласился принять его помощь в поисках человека, отравившего его жену.

Инга не знала, что ей и сказать своим друзьям в ответ. Надо же, как все странно обернулось! А ей Игорь рассказывал совсем другую историю. Упоминал о том, что в детстве много времени проводил в доме своего дяди. А оказывается, что едва знал Виктора Андреевича. Выходит, Игорь лжец? Что же, определенно одно: надо с этим человеком держать ухо востро.

И все же Инга не могла не расстроиться. Сначала Игорь «изменил» ей с Мариной. Теперь оказывается, что он наврал о своем родстве с Виктором Андреевичем.

— Зачем же он меня обманул?

— А вот ты сама у него и спроси.

— И спрошу.

— Спроси обязательно. Мне так этот Игорь очень даже подозрителен. И его интерес к этому делу подозрителен вдвойне.

Теперь Инге тоже стало казаться, что многое в поведении Игоря заслуживает осмотрительной осторожности в отношении его. И тут же ей стало стыдно. Зачем она только откровенничала с первым встречным? А Марина, так та еще дальше пошла, переспала с ним! А в отношении самой Инги подруга совершенно права. Узнай Инга раньше о том, что Ваня остался жив, она бы еще вчера проболталась об этом Игорю.

Мерзавец, он оказывал на нее какое-то гипнотическое воздействие. Она все ему прощала. А ведь если разобраться, то сначала он ей глазки строил, потом переметнулся к Марине, остался у нее ночевать со всеми вытекающими последствиями. И нет бы эти последствия попытаться скрыть, совсем напротив, он открыто заявил Инге, что имел бурный секс минувшей ночью. Да она должна была в ту же минуту гнать его от себя прочь поганой метлой, а она его еще в дом к Василию Петровичу притащила. Обмащник! Лжец! Негодяй!

Инга бурно выдохнула и произнесла:

— Простите и вы меня, ребята. Действительно, нельзя быть такой доверчивой. Но все равно я страшно рада, что Ваня жив и что мы с вами наконец объяснились.

— Да, осталось еще посвятить в курс дела Василия Петровича.

— Кстати, а почему вы сразу этого не сделали? Я — понятно, слабое звено, но он-то? Он же тут всему голова.

— Он тут всему хозяин и имеет право знать правду, — кивнула Алена. — Вот только...

— Что?

— Ваня мне тут одну вещь про Васю рассказал, не нравится мне, как он со мной почти целый год поступал.

— Если ты это насчет Марины, — торопливо произнесла Инга, — то у них ничего не было с Василием Петровичем.

— Правда? Отрадно это слышать.

— Это Светка ее оболгала, потому что собственный Светкин муж — Антон — к Марине в свое время таскался. А Светка ревновала. И до сих пор ревнует. И от этого готова всякие пакости делать.

— Ну, не будем ее осуждать, — поспешно произнесла Алена. — Она человек и достойна сострадания.

Инга слегка растерялась от такого христианского порыва души своей подруги, но потом заметила:

— Я только говорю, что Светлана сказала тебе неправду насчет Василия Петровича и Марины. Сплетница надеялась, что ты приревнуешь своего мужа к Марине, устроишь ему скандал или как-то иначе заставишь ее уехать из поселка. Может быть, даже пригрозишь ему разводом.

— Я знаю, что Светка не идеальна, — грустно произнесла Алена. — И рада, что Марина не обманула моего доверия к ней. Но речь сейчас совсем не о ней.

— А о ком?

— О другом человеке. О том, существование которого Василий Петрович скрывал от меня все это время и... и до сих пор скрывает.

— Скажите, пожалуйста, и кто он такой?

— Это большая тайна.

А то Инга сама этого не понимает.

— Да кто он, я тебя спрашиваю?

— Этого я пока что открыть тебе не могу.

— Снова не доверяешь? — обиделась Инга.

— Нет, просто я еще и сама толком во всем не разобралась. И мы с Ваней желаем сначала понять, правы мы или ошибаемся. Мы не хотим обидеть хорошего человека, пока не собраны доказательства вины, пусть все остается в тайне.

— Ну как знаешь, — нерешительно произнесла Инга. — Но когда доказательства будут...

— Ты узнаешь об этом первая!

Этим обещанием Инге и пришлось удовольствоваться. Она понимала: если Алена за что-то еще держит на Василия Петровича обиду, то рано или поздно она объяснится с ним. И зная подругу, объяснение наверняка будет громким. Дубочки же совсем не так велики, что-нибудь Инга все равно услышит.

Но сейчас ее куда больше интересовал совсем другой вопрос.

— Ваня, но как получилось, что ты остался жив? В машине же было найдено обгоревшее тело!

— Да.

— Мы были уверены, что это ты.

— Нет, не я.

Ваня заметно помрачнел.

— Мне-то повезло, — пробормотал он, — а вот бедняге Антону...

— Антону? Какому Антону?

— Жил тут у нас в Дубочках один чудик. Жена у него изрядная вредина, да ты ее тоже знаешь.

В голове у Инги словно бы вспыхнула гирлянда маленьких лампочек. Факты, до того разрозненные, внезапно связались между собой, и вся цепочка загорелась ярким огнем.

— Ты хочешь сказать, что вместо тебя погиб какой-то Антон... Уж не Светкиному ли это Антону так не повезло?

В голове у Инги моментально всплыл рассказ Марины о том, как минувшей ночью к ее дому явилась чем-то расстроенная Светлана и принялась громко выкликать своего мужа. Мысли сыщицы тут же заработали и в этом направлении. Значит, Антон не пришел домой вовсе не потому, что где-то с кем-то изменял своей супруге. Он не пришел, потому что он был в это время уже мертв! И погиб он вместо Вани. И поэтому теперь Алена, говоря о Светке, понижает тон.

Конечно, добрая ее Алена, она вечно всех жалеет. Вот и сейчас чувствует свою вину перед Светланой, чей муж погиб, если и не по вине Вани, то уж точно за Ваню.

— Да, вместо меня погиб Антон. Напросился со мной в город. Я доверил ему руль. И видите, что из этого получилось.

— Ты ни в чем не виноват!

— Не знаю, — покачал головой Ваня. — Машина-то была моя. Я хозяин, значит, и отвечать по справедливости тоже мне.

— Но как вообще это получилось, машина вышла из строя? Эксперты сказали, что там было повреждено рулевое управление и тормоза.

— Тормоза отказали начисто! — подтвердит Ваня. — Рулевого тоже не было. Мы неслись прямиком на стену с этими канистрами. Я понял, что столкновения уже не избежать, и крикнул Антону, чтобы он прыгал из машины. Но то ли он не успел сориентироваться, то ли не понял, что должен делать. В общем, я выпрыгнул из машины, а он остался в ней.

Последнее, что успел запомнить Ваня, кубарем скатившийся в придорожные кусты, — это звук удара, взрыв и яркую вспышку пламени. Ваня знал, что это такое. Это загорелись топливные канистры.

— Надеюсь, Антон погиб мгновенно. Удар был очень сильным.

Но дальше Ваня уже ничего не помнил. Он потерял сознание и снова пришел в себя, когда до его слуха донеслись громкие рыдания Нюши.

Первым побуждением Вани было кинуться к своим родным и признаться им, что он остался жив. Пошевелив руками и ногами, он убедился, что даже серьезно не пострадал во время своего прыжка, спасшего ему жизнь. Сыграло свою роль умение сгруппироваться и бывшая десантная подготовка. Ваня отделался легкими ушибами и ссадинами. Они совершенно не мешали ему двигаться, и он попытался встать, но тут его словно какая-то сила потянула назад и заставила присесть.

— Я сел и стал думать. Как могло получиться, что моя новенькая машина вышла из строя? Да еще так, чтобы я сам ничего при этом не заметил. Ведь я тщательно проверил машину перед тем, как отправиться в путь. И все было в порядке, но потом почему-то без всякого предупреждения тормоза и рулевое отказало. Быть такого не могло. Я всегда проверяю показания приборов перед тем, как тронуться в путь, а в то утро я проверил их особенно тщательно, и они показывали норму. А между тем в моей машине кто-то серьезно покопался.

— Эксперты тоже так сказали.

— И когда это могло произойти? Ясно, что только когда моя машина стояла в гараже. А это значит, что под подозрение попадала уйма людей. Все, кто был на празднике у Нюши. Я ведь не мог уследить за всеми и каждым. Да потом еще Мария Петровна... Смерть старушки здорово выбила меня из колеи.

— Не тебя одного.

— Но я-то вообще надолго выбыл из общего веселья.

Инга внезапно хлопнула себя по лбу и воскликнула:

— Мне только что пришла одна идея. А что, если убийство Марии Петровны — это был всего лишь маневр, чтобы отвлечь твое внимание от гаража?

— Ну не знаю, — пробормотал Ваня. — Это слишком уж жестоко.

— Все может быть, — возразила Алена.

— Но самое главное, сидя в кустах, я начал постепенно осознавать, что доверять слепо всем подряд в Дубочках я больше не могу. К нам проскользнула крыса. Алена Игоревна давно мне об этом говорила, да только я все время отмахивался от ее слов. А теперь вот понял, что права она была.

— Когда Ваня влез в окно моей спальни, я чуть было не умерла от страха, — призналась Алена. — Сначала я решила, что это призрак. И только удивилась, почему он явился именно ко мне и причем прямо среди бела дня.

— Но потом я ей все рассказал. Она заставила меня раздеться, осмотрела мое тело.

— Я переживала, что у Вани могут быть переломы, которых он сгоряча не заметил.

— Да здоров я, Алена Игоревна.

И они обменялись теплыми взглядами. Алена на правах хозяйки была обязана позаботиться о своем работнике. А во взгляде Вани светилась признательность старого слуги, который хоть и попал в переделку, но все равно чувствовал заботу своих хозяев.

Но затем Алена вздохнула и произнесла:

— Боюсь, тогда тетя Галя и заметила в окне Ваню с голым торсом. И меня, трогающую его и за руки, и за ноги, и вообще за все места.

Вот оно как было дело! Теперь понятно, почему тетя Галя утверждала, что у Алены появился именно любовник. И вот странная история — про любовника она горничным разболтала, не смогла удержаться, выложила им новость, которая распирала ее почти сутки. Но о том, что мужчина был голым, а хозяйка его трогала, стыдливо умолчала.

Все-таки определенная деликатность в отношении хозяйки у поварихи имелась. Хотя лично сама Инга предпочла бы лучше готовить себе еду самостоятельно, чем терпеть у себя в доме такую любительницу сплетен. Но это, как говорится, дело вкуса. И все же Инга решила: когда все закончится, она обязательно переговорит с Аленой насчет ее прислуги. Подруга просто возмутительно распустила своих домашних. Они судачат за ее спиной о личной жизни хозяев, а это совсем никуда не годится.

Алена словно прочитала мысли своей подруги и сказала:

— В общем, сплетников вокруг полным-полно. Мы же не знаем, откуда следует ждать беды.

— А потому мы с Аленой Игоревной решили, что оставим пока мое воскрешение в тайне от всех в наших Дубочках.

Чтобы не спалиться, Ваня перебрался из спальни хозяйки в куда более безопасное, на его взгляд, место, в пустующий домик садовника. Ну а на долю Алены выпало снабжать Ваню всем необходимым, в первую очередь провиантом. И она принялась исправно таскать ему обеды, завтраки и ужины, потому что переживший стресс организм Вани требовал для восполнения потраченных ресурсов ударной дозы белков, жиров и углеводов. И Алена с точностью швейцарских часов стала носить Ване по двойной и даже тройной порции его любимых килокалорий: мяса, копченостей, белого хлеба, — все это обильно приправив майонезом, кетчупом и посыпав черным перцем.

Инге даже стало досадно. И как она сразу не сообразила, что происходит? Ведь у нее мелькнула мысль, что вкусы и пристрастия Алены к еде как-то очень уж стали напоминать пристрастия Вани. И стоило ей хорошенько рассмотреть те блюда, что брала с собой Алена, как моментально стало бы очевидным: эту еду подруга берет совсем не для себя.

Трехэтажные бутерброды были как раз в духе Вани. Булка, колбаса и сыр. И еще майонез для сочности. И огромные кружки очень сладкого черного чая. Сама Алена пила либо мате, либо улун. А черные чаи потребляла крайне редко, по большей части пила их в гостях, где других напитков просто не предлагалось.

— Но нет, я ничего не просекла. И мне потребовалось найти крест и цепочку Вани, чтобы понять, что он остался жив. Василий Петрович зря возмущался, что тело Вани подверглось надругательству, было ограблено, с него сняли нательный крест и цепочку. Вместо Вани погиб другой человек. И только когда я нашла крест с цепочкой, у меня в мозгу словно бы замкнулась логическая цепочка.

— Будем надеяться, что только у тебя одной. Потому что нам предстоит ловить преступника на живца. Нельзя допустить, чтобы его что-то насторожило. Пусть думает, что все идет согласно его планам.

Услышав насторожившее ее словечко, Инга не стала таиться и спросила у подруги:

— Как это «на живца»? А кто же у нас будет «живцом»?

— Думаю, что после «смерти» Вани наступила моя очередь «умереть», — вздохнула Алена. — Преступник стремится оставить Васю совсем одного, без близких ему людей. Лишить его привычного окружения, чтобы мужу совсем не на кого было опереться, кроме него.

— Но кто он такой?

— Этого я тебе не скажу. Пока не скажу. Прости, но так будет лучше. Даже если ты будешь молчать как партизан, ты своим поведением или взглядом можешь так или иначе себя выдать.

— А ты не выдашь?

— Ну, если даже и так, то это не беда, — храбро произнесла Алена. — Ведь я уже намечена на роль следующей жертвы. Я в этом совершенно уверена. Так что если даже я себя и выдам, то это лишь заставит преступников действовать быстрее.

— Преступников? — ахнула Инга, не сдержавшись. — Так он еще и не один?

— Мы с Ваней считаем, что их двое.

— Как минимум двое, — добавил Ваня. — Один должен был испортить машину, а второй должен был его впустить в гараж. Отпереть для него изнутри дверь. Затесался, гад, среди гостей, делал вид, что участвует в празднике, а сам втихаря сотворил свое черное дело.

Кто же это такой? Но только не Нюша! Ведь девушка утром в день трагедии, «унесшей» жизнь Вани, приехала вместе с Ваней на его машине. Знай она о том, что машина в любую минуту может потерять управление, ни за что бы не согласилась сесть рядом с Ваней. Нашла бы тысячу причин, чтобы избежать смертельно опасной поездки.

— А почему один человек не мог провернуть это дельце? И открыть дверь гаража, и испортить машину? То есть сначала подготовить себе путь, а потом уже ночью прийти и доделать грязную работу?

— Объясню, — вздохнул Ваня, который, как с радостью отметила Инга, освободившись от влияния

Нюши, вновь начал разговаривать с Ингой как в старые добрые времена. — С некоторых пор я начал ощущать какое-то беспокойство. Со мной так бывает, когда грядут крупные неприятности. И, почуяв их приближение, я должен был предпринять ряд мер для собственной безопасности.

К одной из таких мер относился крохотный волосок, который Ваня каждый вечер теперь прилеплял к дверям на своем доме. Не стал исключением и гараж.

— Волосок я прилепил сразу же, как только поставил машину в гараж. И было это в первой половине дня. Потом я занялся последними приготовлениями и самим приемом гостей, затем произошел этот трагический инцидент с Марией Петровной... Одним словом, вечером я двери не проверил. А когда на следующее утро я хотел вывести машину из гаража, то увидел: волоска нет.

— Может быть, ты его сам сдул?

— Вот и я так же подумал. Тем более что машина казалась в порядке, все приборы работали исправно.

— Преступник потрудился над твоей электроникой.

— Но кто-то его должен был впустить в мой гараж. И я считаю, что один из гостей открыл гараж, а ночью его сообщник явился и испортил машину.

— Почему же обязательно сообщник? — не успокаивалась Инга. — Злодей мог и сам заявиться среди ночи.

Ваня как-то странно смутился, кинул на Алену виноватый взгляд и ничего больше не произнес.

Инга насупилась. Ваня с Аленой такие противные. Скрытничают, таятся. И от кого таятся? От нее, от Инги!

— А Нюше вы расскажете о своих планах? — спохватилась она внезапно. — Бедная девочка, она так переживает смерть Вани! Надо ей сказать.

Алена с Ваней вновь переглянулись. А потом телохранитель быстро ответил:

— Будет лучше, если и Нюша пока что побудет в неизвестности.

Инге стало немного легче, что неосведомленной будет не она одна. Вместе с ней тут и Нюша, и Василий Петрович. Да, она оказалась в хорошем обществе. И еще неизвестно, кто тут в проигрыше — она или Алена с Ваней, вздумавшие таиться от всех, в том числе даже от своих самых близких.

Обратно домой Инга возвращалась словно на крыльях. Сердце у нее в груди так и пело. Ваня жив! Какая радость! На душе было хорошо и легко. Мнимая смерть Вани придавила Ингу гораздо сильнее, чем она хотела показать. Пусть с ее стороны к Ване и не было горячей любви, но зато была ровная дружеская привязанность. Инга ценила мужчину за его молчаливую покладистость и умение всегда оказаться рядом в сложный момент. Он был ее другом, потерять которого она бы не хотела.

Напоследок, уже прощаясь, Инга еще уточнила у Вани несколько моментов:

— Скажи мне в последний раз, чтобы окончательно снять уж все подозрения с Нюши: она тебе не родственница?

— Нет.

— А завещание? Ты не писал в ее пользу завещания?

— Нет. Мне бы такое и в голову не пришло. Мне есть кому завещать нажитое.

— Это ты про кого говоришь?

Ваня как-то смутился, отвел глаза и пробормотал, что Инга этих людей не знает и совсем не надо, чтобы она с ними знакомилась.

— Достаточно вам и то знать, что Нюше после моей смерти ничего бы не обломилось.

— И она об этом знала?

И Ваня в ответ клятвенно заверил Ингу:

— Никакого повода надеяться на то, что она станет моей наследницей, у девочки нет.

В ответ Инга радостно воскликнула:

— Значит, и повода желать тебе смерти у нее тоже нет!

Ваня молча пожал плечами, словно это само собой и подразумевалось изначально.

И вот теперь Инга, окончательно убедившись в невиновности Нюши, боролась в душе с искушением рассказать девушке и Василию Петровичу правду. Разумеется, под строгим секретом! Уразумев, что она собирается сделать, Инга даже остановилась на месте и изумленно прошептала:

— Все-таки как хорошо они меня знают. Ваня с Аленой предупреждали, чтобы я держала язык за зубами, а я собралась разболтать о Ванином «воскрешении» на все поместье.

И, устыдившись своих намерений, Инга решила вообще не возвращаться в дом. Там в обществе убитых горем служанок и Нюши ей будет гораздо труднее удержать язык за зубами. Она может не сдержаться и проговориться им о том, что Ваня жив и горевать по нему не надо. А ведь именно от этого ее предостерегали друзья.

Так что постепенно в голове у Инги начала созревать мысль не ходить домой, а напротив, отправиться куда-нибудь подальше от дома. Например, с визитом к Виктору Андреевичу в Буденовку.

«Все-таки безобразие, что я лично даже не выразила ему соболезнования по поводу смерти его супруги».

Но если бы кто-то заставил Ингу хорошенько покопаться у нее самой в ее душе, то наверняка она бы обнаружила там под нагромождением всяческих благих порывов всего один, но зато очень искренний грешок. Ее не столько интересовал Виктор Андреевич, сколько его молодой друг и, возможно, дальний родственник — Игорь. Вот кого Инге хотелось вновь увидеть. Несмотря на то что они расстались совсем недавно, женщина уже соскучилась по нему. И к тому же ей не давало покоя то обстоятельство, что Игорь был не вполне откровенен с ней.

«Если он хочет, чтобы у нас возникло что-то серьезное, ему придется объясниться со мной».

Конечно, направляя свои стопы в сторону соседнего поселка, Инга рассматривала вероятность того, что она зайдет к Игорю, коли уж окажется в Буденовке. Но ведь у нее же есть веский повод для этого. Надо же узнать, как обстоят дела у Игоря с поиском наркоторговца, занимающегося поставками столь редкого и экзотического наркотика, каким был и является пейотль для нашей страны.

«А если он спросит, почему я просто ему не позвонила? Что же, тогда скажу, что случайно стерла его номер телефона. А в Буденовке оказалась по своим делам, вот и решила зайти к нему на минуточку, раз уж все равно я здесь».

И, успокоившись, Инга направилась прямиком к воротам. Настроение у нее было превосходное. Мысль о встрече с Игорем будоражила ей кровь.

Однако далеко ей уйти не удалось. Возле ворот стояла какая-то женщина, на вид лет тридцати пяти — сорока. Пожалуй, что когда-то она была даже недурна собой, вот только заплаканные глаза портили всю ее красоту. Почему-то при виде этой заплаканной женщины Инга подумала, что причиной ее слез очень даже запросто может быть их Ваня.

Почему Инга так решила? Ведь у заплаканной женщины на лбу не было написано, что она подруга Вани. Ну этому имелось вполне логичное объяснение. За те годы, что они с Ваней были знакомы друг с другом, Инга имела возможность наблюдать женщин, с которыми у телохранителя бывали романы. Всех их роднило между собой то, что они были высокие, статные, крепко сбитые, несколько в теле. И что называется, исконной славянской внешности — с густыми русыми волосами, маленьким курносым носом и толстыми румяными щеками. Именно такие женщины, напоминающие Ване девиц в его родной деревне, и становились объектом его неподдельного интереса.

Нет, возвышенных чувств он к этим женщинам не питал, они предназначались исключительно для удовлетворения физиологических потребностей мужчины.

Подумав о том, что заплаканная тетка вполне в духе Вани, Инга не собиралась возле нее останавливаться. Но женщина сама обратилась к ней.

— Простите, — произнесла она, — вы не знаете, хозяин дома?

— Нет, он уехал.

— Мне необходимо его видеть.

Инга пожала плечами.

— Если необходимо, так идите и подождите его. Рано или поздно Василий Петрович вернется домой.

Женщина помялась, но потом призналась:

— Я не решаюсь. Вы не знаете, он в каком настроении?

— Да в каком бы ни был! Если он вам нужен, то Василий Петрович вас примет. Конечно, если у вас что-то серьезное. Потому что из-за гибели своего друга Василий Петрович сильно скорбит.

— А я как раз по этому самому делу. По поводу смерти Ванечки.

— Вы знаете, кто мог испортить машину Вани? — обрадовалась Инга.

Но женщина тут же ее разочаровала.

— Нет, нет, — пробормотала она. — Я по другому вопросу... о наследстве.

— Наследстве? Чьем?

— Ванином.

— А вы тут при чем? А! Кажется, я догадываюсь, вы его родственница?

— Ну, можно сказать и так, — покраснела женщина. — Мы с Ваней много общались между собой.

Она залилась густым румянцем, а Инга окончательно убедилась, что нужно больше доверять собственным предчувствиям. Ведь она же с самого начала сказала себе, что эта женщина похожа на тех, кто состоял у Вани в штате его любовниц. И зачем, спрашивается, Инге было нужно интересоваться у женщины, не родственница ли она Ване? Ведь сразу же подумала, что это его любовница и никто иной.

— Правда, в последнее время Ваня почти совсем перестал ко мне приходить, — внезапно разоткровенничалась эта особа. — Но ведь на завещании это никак не отразится, как вы считаете?

— Как я считаю? — удивилась Инга. — А при чем тут я?

— Лицо у вас такое умное, — жалко улыбнулась ей женщина. — Вот я и подумала: а вдруг вы нотариус или его помощник? Тогда вы могли бы подсказать мне, как быть с завещанием.

Инга собиралась заверить женщину, что она не имеет ничего общего с нотариусом, но внезапно передумала. Почему бы и не сыграть роль нотариуса перед этой недотепой?

— Да, вы правы, — произнесла она. — Я разбираюсь в бумагах.

И ведь почти не соврала.

— Ой, как хорошо! — простодушно обрадовалась женщина. — А то, понимаете, Ваня умер, имущество ему больше не нужно. Нет, вы не подумайте, на машину его я не претендую...

— Так там и претендовать не на что. Все сгорело дотла.

— Но ведь есть же страховка, — резонно возразила женщина, показывая, что она совсем не такая простушка, какой кажется. — Ваня при покупке застраховал машину от всех видов рисков, вплоть до полного, как он сказал, тотального ее уничтожения. Он сам мне показывал страховой полис. Сказал, что раньше всегда брал машины другой марки, но теперь пересел на «Мазду» и чувствует, что не прогадал. Машина классом куда выше, чем все те, которыми он пользовался раньше. Маневренная, мягкая в управлении...

— Ну а вы-то чего хотите?

— По страховке наследникам обязаны выплатить стоимость автомобиля.

— Наследники — это родня. А вы говорите, что никакая вы погибшему не родня.

— Совсем необязательно, чтобы родня наследовала! — горячо заговорила женщина. — Ваня со своими родными и не общался, почитай, никогда. Одна только Нюша с ним и жила, но да ведь девчонка еще совсем молоденькая, замуж выйдет, там пусть на наследство и претендует.

Ловко у этой бабенки расклад получался. Считая Нюшу племянницей Вани, она тем не менее лихо обходила девушку при дележе имущества.

— Кто такая Нюша? — бухтела между тем себе под нос эта ушлая особа. — Какие у нее перед Ваней заслуги? А ко мне он каждую неделю заглядывал. Ну, то есть раньше заглядывал, в последнее время реже стал заходить. Но ведь в завещании же об этом упоминать необязательно? Я ведь Ванечку нашего очень любила.

Внезапно Инге, которая наконец уразумела суть разговора, стало очень неприятно. И что за противная баба! Плачет, говорит, что любила Ваню, а сама только и твердит, что о его завещании. Кстати, что за завещание-то такое? В чем его суть?

— А я вам объясню, — радостно согласилась тетка. — Ваня с родней своей не общался, а много чего в последние годы приобрел. Человек он был обстоятельный, вот и сказал, что напишет завещание.

— Но почему обязательно в вашу пользу?

— Ваня никогда не стал бы так шутить. Он в город ездил, чтобы завещание оформить. Вернулся, мне его показал.

— И там стояло ваше имя?

— Ну, я так четко уже теперь не помню, — смутилась женщина. — Но завещание было оформлено. И Ваня сказал, что оно на меня.

Инга повнимательней присмотрелась к этой женщине. А вдруг эта тетка и есть преступница, желавшая Ване смерти и добившаяся ее? А теперь вот явилась за наградой, про завещание что-то тут болтает. И Инга уперлась испытующим взглядом в незнакомку. Но женщина так простодушно похлопала в ответ глазами, что Инга успокоилась. Нет, это не она, это не убийца. Сама эта женщина не стала бы никому желать зла, строить козни и готовить Ванино смертоубийство. Это не охотница, а падальщица, которая подбирает то, что осталось от другого хищника. Крестьянская смекалка подсказывает ей, что тут можно кое-чем поживиться. Вот она и задергалась.

— Не так я хотела войти в дом Вани, — внезапно разоткровенничалась тетка. — Мечтала, что мы с Ваней поженимся. У нас ведь с ним любовь была, хотя в последнее время ему все некогда было. Все дела какие-то находились, но я не обижалась на него. Понимаю, он большой человек, на нем и ответственность большая. Где уж ему на всех время найти. Но когда приходил, то мы с ним очень душевно беседовали. Чай пили. Он любил земляничное варенье, я всегда баночку про запас держала.

Женщина явно намеревалась удариться в теплые воспоминания, которые Инге были отчего-то неприятны. К тому же Инга рвалась к Игорю. Некогда ей стоять тут и болтать с этой бабой о всякой ерунде. Земляничное варенье они там на пару с Ваней трескали, скажите, пожалуйста! Ну и что с того? Если других достоинств не имеешь, конечно, и варенье в качестве приманки сгодится.

И утратив интерес, Инга прошла мимо, лишь посоветовав Ваниной знакомой обратиться со своим вопросом напрямую к Василию Петровичу.

— Он честный человек. И если завещание есть и в нем действительно указано ваше имя, то вы получите все и в полном объеме.

— Ой, да мне бы только дом! — замахала руками та. — Очень уж у Вани дом хорош. Когда еще племянница не поселилась с ним, я бывала у Вани в гостях. Всегда мечтала там хозяйкой оказаться.

Инга не смогла удержаться и не без ехидства подумала, что если такое и случится, то очень не скоро. Ведь Ваня жив. А следовательно, есть завещание или его нет, совершенно неважно. Ничего этой особе не обломится. Ни деньги по страховке за машину, ни дом, ни вообще что-либо. Да и сам Ваня любит совсем другую женщину. И Инге даже кажется, что она знает ее имя. И окончательно утешившись этой мыслью, она просияла улыбкой и отправилась дальше.

ГЛАВА 13

Дорога до соседнего поселка заняла у Инги всего полчаса. Причем только первые четверть часа ей пришлось идти своими ногами. Затем возле нее остановилась машина, кто-то из рабочих Василия Петровича ехал в том же направлении и, узнав гостью своих хозяев, предложил подвезти ее до Буденовки. Таким образом, Инга очутилась там, где ей было нужно, раньше ожидаемого времени и совсем при этом не притомившись.

Это еще больше вдохнуло в женщину бодрости и силы духа. Уверенная, что, раз обстоятельства ее путешествия складываются столь благоприятно, значит, она на верном пути, Инга узнала у сторожа, в каком именно коттедже остановился Виктор Андреевич, а в каком живет Игорь, и беспрепятственно прошла на территорию поселка.

Ее внешний вид показался дедку достаточно благонадежным, он пропустил вежливую молодую женщину, не спросив ее документов. Да еще и присовокупил, что оба интересующих ее мужчины находятся где-то на территории поселка.

— Потому как на память я еще, к-хе... к-хе, не жалуюсь.

Инга пошла дальше. И вскоре действительно увидела Виктора Андреевича, расположившегося в саду и склонившегося над какой-то книгой, которую держал в руках.

— Виктор Андреевич, а я к вам.

Увидев ее, пожилой мужчина тут же поднялся и заковылял к ней. Он заметно прихрамывал на правую ногу, а вообще казался сильно постаревшим и каким-то утомленным. Да и книга, как успела заметить Инга, взглянув на переплет, была Библия.

— Вот пытаюсь понять, чем мы с Машей прогневили Господа, — объяснил ей Виктор Андреевич. — А если не получится этого уразуметь, так хотя бы пробую примириться с тем, с кем мне вскоре предстоит увидеться.

— Зачем вы так мрачно? Вы еще поживете.

— Нет, — покачал головой Виктор Андреевич. — Не хочу. У меня и раньше мысли крутились в голове, что зажился я уже на белом свете. Но ради Марии Петровны держался. А теперь без моей Маши мне что-то совсем тоскливо тут стало.

Старик отвернулся, чтобы скрыть слезы. А Инга гневно сжала пальцы в кулаки. Кто бы ни подлил отраву в питье Марии Петровне, он поступил просто чудовищно!

— Скажите, не нашли еще человека, который сделал это черное дело?

— Нет. Игорек суетится, что-то пытается сделать. Но сдается мне, что не очень-то у него получается.

— Ну что вы! У Игоря обязательно все получится. Он найдет убийцу Марии Петровны.

Виктор Андреевич ничего не ответил. Он не был склонен к разговорам. Лишь сказал, что завтра забирает тело жены и возвращается с ним домой, в город. Хоронить Марию Петровну должны были через три дня на Смоленском кладбище, где уже лежали ее мать с отцом и другие родственники.

— Приходите и вы тоже, если в городе окажетесь.

— А Сева с Вовой будут?

— Будут, конечно, — удивился Виктор Андреевич. — А почему вы спрашиваете?

И тут Инга не удержалась. Пусть о «воскрешении» Вани ей строго запрещено болтать, но насчет Севы с нее никто обета молчания не брал. И она разоткровенничалась:

— Я слышала, как Сева с Вовой сговаривались о том, что и кому должно достаться, если один из вас переживет другого, и согласно завещанию все нажитое достанется пережившему супругу.

— Пусть не переживают, — безразлично произнес Виктор Андреевич. — Сразу же по возвращении я напишу завещание, в котором распределю все нажитое и унаследованное совершенно одинаково между ними двумя. Именно так мы и договаривались поступить с Машей. Конечно, наша ошибка в том, что мы не сообщили своего решения нашим детям. Говорите, они здорово волновались, не кинем ли мы их с наследством?

В голосе Виктора Андреевича не было слышно гнева, одна лишь печаль.

— Ах, как бы я хотел снова быть молодым, чтобы меня волновали все эти глупости. Но теперь я стар, я собираюсь в иной мир. А туда люди отправляются налегке. Все, что они берут с собой, — это их добрые дела и грехи. Вот я и думаю, достаточно ли праведно прожил свою жизнь? Сижу, вспоминаю и понимаю к своему ужасу, что нет, до праведника мне очень далеко, а времени у меня почти совсем не осталось!

Инга не нашлась, что ей ответить на это, и сумела лишь выдавить из себя:

— Ну, не буду вас отвлекать. Я пойду, хотела еще зайти к Игорю.

Виктор Андреевич не стал ее задерживать. Он казался совершенно безучастным ко всему, что теперь происходило вокруг него. Он даже не пошел проводить Ингу. Сказал, что с калиткой она справится и сама. И, оглянувшись на него напоследок, Инга увидела, что Виктор Андреевич вновь склонился над своей Библией.

Выйдя от старика, женщина вдохнула полную грудь воздуха и пробормотала самой себе в назидание:

— Вот так вот живешь-живешь, а потом бац...

Инга не договорила, потому что не знала, что еще сказать, и молча побрела дальше в том направлении, где должен был находиться дом Игоря. Неисповедимы пути Господа. Кто в тот день с утра мог предвидеть, что уже к вечеру Марии Петровны не будет в живых? Ничто не предвещало ее кончины, и однако же она последовала.

Углубившись в свои мысли, Инга внезапно услышала визгливый женский голос, прозвучавший у нее почти над самым ухом:

— Фелиция Дмитриевна, вы не видели, куда делся костюм Кинг-Конга? Вы меня слышите? Фелиция Дмитриевна, вы тут?

Кажется, только безнадежно глухой не услышал бы этот громкий голос. Инга завертела головой в поисках его обладательницы. И увидела в окне небольшого ярко раскрашенного домика интеллигентного вида тетку с тощим пучком, стянутым на затылке так туго, что казалось, он натягивает кожу, обнажая большие лошадиные зубы.

— Где костюм Кинг-Конга? — повторила она еще громче свой вопрос.

Однако упомянутой Фелиции Дмитриевны ни видно, ни слышно не было. Наконец по прошествии пары минут эта достойная особа все же появилась и величественно осведомилась:

— Что вам угодно, Теодора Николаевна?

— Костюм! — взвизгнула тетка с пучком на затылке. — Костюм Кинг-Конга! Где он? Сегодня у нас спектакль, а костюм главного злодея отсутствует!

— Это обезьяна которая, что ли? — осторожно осведомилась Фелиция Дмитриевна, оказавшаяся миловидной бабулечкой, изящной и почти бестелесной, о которых обычно говорят «божий одуванчик».

Но распаленная Теодора Николаевна не пожелала разговаривать мирно и снова взвизгнула, словно ржавая пила:

— Довольно странно для костюмера не знать, как выглядит костюм Кинг-Конга.

— Да помилуйте, Теодора Николаевна. У вас же каждый день новая постановка. Где же мне всех героев упомнить по именам? То из Поневилля придумали какую-то Радугу — голубого пони вам делай. То принцесса Силестия у вас с крыльями — новый костюм придумывайте для вас. То обезьяна эта. Сколько меха я на нее извела, вспомнить страшно! А теперь говорите, что он пропал? Как же такое может быть?

— Тут он лежал! Тут!

И распаленная Теодора Николаевна ткнула пальцем прямо перед собой. Получалось, что костюм лежал где-то под окном.

— В коробке? — уточнила Фелиция Дмитриевна.

— Да, вот тут прямо он и лежал! Отлично помню, что на прошлой неделе у нас была постановка, в которой мы задействовали Кинг-Конга. И костюм имел у зрителей грандиозный успех. Малыши пищали от восторга.

— То-то потом мне некоторые мамочки жаловались, что зря они памперсы на зрителей своих не надели. Опозорились их детки от вашего спектакля.

Но Теодору Николаевну такие мелочи не могли отвлечь от главной темы.

— Куда вы дели костюм?

Теперь в голосе Теодоры Николаевны отчетливо слышалась угроза. Но старушка костюмерша ничуть не испугалась. Не дрогнув, она произнесла:

— Если вы подозреваете, что это я его перепрятала, то напрасно.

— Вы все время что-то прячете!

— Убираю на место, — с достоинством поправила ее Фелиция Дмитриевна.

— И куда вы дели костюм? Где, по-вашему, его место?

— Я не трогала костюм.

— Это правда? Вы меня не обманываете?

— Давно уж зареклась не вступать с вами в конфликты. У меня здоровья не хватает, вас ведь не перекричишь.

— Тогда извините меня, — сконфузилась Теодора Николаевна. — Просто костюма нет, вот я и подумала...

— Я его не брала, — с достоинством ответила костюмерша и двинулась к выходу.

Но по дороге она остановилась и предложила:

— У меня остался костюмчик динозаврика Дино, если хотите, можем использовать его.

— Это каким же образом? Кинг-Конг, если вы не помните, в ходе действия спектакля похищает прелестную Дюймовочку.

— Пусть ее похитит дракон. Динозавры — это те же драконы.

— Ну что вы такое говорите? Дино — это положительный образ, это герой со знаком плюс. Он не может похищать маленьких девочек!

— Можно морду ему замотать бинтами, никто и не поймет, что это Дино. А на грудь броню приделать. И хвост я еще могу немножко удлинить.

— А что? Это интересная идея, — задумалась Теодора Николаевна. — Может получиться Смауг.

— Кто?

— Ах, да не забивайте вы себе голову! Просто сделайте из Дино образцового дракона, и мы с вами как-нибудь выкрутимся.

Голоса женщин стали затихать. Они обе отправились в дальние помещения, чтобы без помех обсудить там возможность замены Кинг-Конга драконом Смаугом. Инга же осталась тут, обдумывая полученную информацию. Едва она услышала про костюм Кинг-Конга, который пропал из этого странного строения, как шестеренки у нее в голове закрутились с бешеной скоростью.

Уж не то ли лохматое чудовище, которое напугало Алену в рощице позади ее дома, и было пропавшим Кинг-Конгом, вернее, его костюмом? По времени все совпадало. Да и, по словам Теодоры Николаевны, костюм лежал под самым окном. Кто угодно мог залезть через окно или даже, будучи человеком высоким, просто подпрыгнуть, встать на приступочку и запустить длинную руку в коробку с костюмом.

Инга обошла здание и увидела над его дверями вывеску: «Экспериментальный театр».

А чуть ниже его висела написанная от руки афиша: «Спектакль «Лес — полон чудес». Возраст не ограничен. Опера «Русалочка». Вход с шестнадцати лет».

Инга заглянула внутрь и изумилась еще больше. Ее взгляду предстал настоящий зрительный зал, в котором стояли несколько рядов стульев в центре и лавочки по бокам. Зал был красиво украшен серпантином, шариками и разноцветной кисеей. Чувствовалось, что обитатели поселка часто и с удовольствием посещают это место. И наверняка происходит это не без помощи милейшей Фелиции Дмитриевны и грозной Теодоры Николаевны.

«Хорошо, когда у людей находится повод и желание побыть вместе. Плохо, когда у кого-то из этих людей руки чешутся сделать что-то дурное своим близким».

Потому что теперь Инга почти не сомневалась: она нашла, откуда растут ноги у лохматого чудовища, напугавшего ее лучшую подругу. Костюм Кинг-Конга был сшит из искусственного меха, один из клочьев которого остался на кусте орешника в роще, где Алена испытала приступ дикого ужаса, когда за ней погнался монстр.

Некий злодей выкрал костюм из театра и сделал это с ловкостью и легкостью. Даже сейчас Инга могла бы спокойно войти в театр и вынести любую приглянувшуюся ей вещь. Голоса Теодоры Николаевны и Фелиции Дмитриевны слышались откуда-то из-за сцены. Кажется, женщины не могли решить, как именно они должны усовершенствовать безобидного Дино, чтобы он стал похож на зловещего Смауга, способного вызвать дрожь у самых юных зрителей.

— А я вам говорю, сделаем ему длинный хвост, а морду закроем волосами. У меня есть парик, будет в самый раз.

— Дорогая Фелиция Дмитриевна, — слышался пронзительный голос руководительницы, — не мне вам указывать, но все-таки дракон — это ящер. А ящеры все лысые! У них на коже волосы не растут!

— Детишкам-то откуда это знать?

— Вы разве не знаете современных детей? Они теперь чуть ли не с пеленок знают об этом мире столько, сколько мы с вами не узнаем, наверное, и до конца нашей жизни!

Женщины явно увлеклись любимым делом. В спорах между собой они находили и пользу, и удовольствие. Инга порадовалась, что существуют еще такие неравнодушные люди, способные творить и дарить радость людям. Но все же, будучи энтузиастками своего дела, им не мешало бы получше приглядывать за своим реквизитом.

— Двери нараспашку, — проворчала Инга себе под нос. — Заходи кто хочешь, бери что хочешь.

Однако, выходя из театра, она на крыльце столкнулась с группой молодых женщин, как она поняла, актрис, явившихся на репетицию. Оказалось, что все жители поселка Буденовка, если у них имелось желание, а зачастую и вопреки собственному хотению, были задействованы в спектаклях, которые организовывали две пожилые театральные работницы. Художественный руководитель на заслуженном отдыхе и костюмер на пенсии ставили силами местных жителей полупрофессиональные постановки, которые пользовались в Буденовке огромным успехом.

— А вы тоже к нам? — весело спросила у Инги одна из женщин. — Заходите, мы всем рады.

— Правда, больших женских ролей вам в первое время не светит. Все главные роли уже распределены.

— Вот были бы вы мужчиной, тогда другое дело.

— Мужчин всегда не хватает.

— А может, вы согласитесь сыграть одну из мужских ролей? Тогда вам можно было бы дать даже Щелкунчика!

— Лучше уж Кинг-Конга, — невольно вырвалось у Инги.

— Нет, Кинг-Конга у нас есть кому играть, — ответили женщины и переглянулись между собой. — Если не хотите Щелкунчика, можем предложить только Крысиного Короля.

От Щелкунчика благоразумная Инга отказалась. Впрочем, роль Крысиного Короля ее тоже не привлекла. Она с трудом вырвалась из рук ретивых дамочек, мечтающих заполучить ее к себе в помощницы, и поспешила к дому Игоря.

Видимо, сегодня ей везло буквально во всем, потому что Игоря она поймала в дверях.

— А я уже собирался уходить, — улыбнулся мужчина, впрочем, не сказав, куда именно он собирался.

Но Инга не стала уточнять, для нее было достаточно и того, что она встретилась с Игорем и что теперь он в ее власти.

— Есть какие-то новости? — жадно спросила она у него.

— О чем именно?

— Но вы же собирались заняться поиском поставщиков мескалина.

— Ах, это...

Игорь выглядел немного растерянным, словно бы Инга отвлекла его от его собственных мыслей. Но он тут же взял себя в руки и произнес:

— Да, новости есть. И боюсь, что для вас они отнюдь не радостные.

— В чем дело?

— Мне удалось выйти на торговца мескалином, который тот, по его собственным словам, получает прямиком из Мексики. Накрыта целая шайка. И знаете, кто осуществлял транспортировку мескалина?

— Нет. И кто же?

— Уличные музыканты! Они перевозили наркотик в своих инструментах.

— Выходит, их всех арестовали?

— Они находятся в одном из СИЗО столицы. Пока еще не принято решение, оставить их в России и судить по нашим законам или же вернуть всех музыкантов обратно в Мексику.

— Но почему вы сказали, что для меня у вас плохие новости? Новости-то как раз отличные!

— Дело в том, что ребята откровенно раскаялись в совершенных преступлениях.

— И это тоже хорошо.

— Им предоставили выбор: либо они сдают всех своих российских клиентов и их самих депортируют на родину, где их, скорей всего, ждет помилование или условное наказание, ведь торговли наркотиками и приравненным к ним мескалином на территории Мексики они не вели. Либо же они играют в героев, но тогда получают наказание по полной. А учитывая объемы мескалина и другой дури, которая была обнаружена у них, в России им светят более чем солидные сроки тюремного заключения.

— И что они выбрали?

— Вы сами-то не догадываетесь? Едва им озвучили два варианта развития событий, мексиканцы даже не выслушали до конца. Они тут же наперебой начали стучать, как дятлы. И один из них показал, что в числе прочих покупателей у него был один, которому он отправил мескалин почтой в Дубочки.

— Куда?!

— В Дубочки.

Если вначале Инга решила, что ослышалась, то теперь все сомнения развеялись. Вот что имел в виду Игорь, говоря, что у него плохие новости для нее. Преступник покупал отраву, даже не шифруясь! Да уж, такой вопиющей наглости она все-таки не ожидала. Подумать только, мерзавец обнаглел до такой степени, что заказал и получил отраву под самым носом у Василия Петровича и Алены!

— Мне не послышалось, ведь правда? — робко повторила Инга.

— Товар был доставлен к вам в Дубочки. И скажу вам больше: посылку доставил курьер, таково было требование самого покупателя.

— Но на чье же имя пришла посылка?

— Адресатом был указан Василий Петрович.

Инга решительно уже ничего не понимала. Голова у нее буквально шла кругом. Василий Петрович решил травить собственную жену? Это что же получается? Уже не Марина, а родной муж подливал Алене в еду или питье какую-то дрянь, от которой женщина думала, что сходит с ума? И зачем Василию Петровичу так поступать?

К чести Инги надо сказать, что мысль о виновности Василия Петровича мелькнула у нее в голове лишь на одно, и то очень короткое, мгновение. А затем все ее существо решительно воспротивилось этому. Нет, не мог Василий Петрович желать зла своей жене. И даже если бы он захотел, чтобы она исчезла из его жизни, он бы все равно не стал действовать столь низко и подло.

— Преступник рассчитывал на то, что Василий Петрович никогда лично не принимает почту. Его и дома-то почти никогда нет. Уходит рано, возвращается поздно. Кстати говоря, как и сама Алена.

— Уверен, это кто-то из слуг! — подхватил Игорь. — Кто-то из них задумал недоброе в адрес своих хозяев.

— Но зачем?

— А вот это я предлагаю нам с вами установить.

— Нам?

Инга была приятно польщена тем, что Игорь счел ее достойной партнершей в предполагаемой игре. Но все еще не понимала, какую пользу она может принести.

— Я все еще ничего не понимаю, — пожаловалась она ему.

Но Игорь заверил, что это совершенно неважно.

— Я и сам не понимаю до конца планов преступника, — пояснил он Инге. — Но уверен, тот не будет мешкать. Одну или даже две жертвы он уже одолел. Теперь черед фигуры помассивнее. Я уверен, следующий удар будет нацелен на кого-то из хозяев поместья.

Услышав это, Инга громко ахнула. Совсем недавно Алена сказала, что следующей жертвой должна стать она. И вот теперь Игорь пришел самостоятельно к точно такому же выводу! Было от чего прийти в полное смятение и растерянность. Жизнь Алены под угрозой! Ее дорогой подруге грозит смерть. И в сильном испуге Инга вцепилась в руку Игоря.

— Вы такой смелый! Такой умный! Вы обязательно спасете Алену! Найдете способ, как это сделать! Ведь верно?

По губам Игоря скользнула довольная улыбка. Как и всем мужчинам, ему нравилось быть «самым умным», «самым смелым» и вообще самым-самым. Этого требовало его мужское Я. Сцапать преступника, прослыть героем и, кто знает, возможно, получить вознаграждение сразу из нескольких источников — что может быть приятнее для человека, не любящего скучно жить?

— Я обещал Виктору Андреевичу, что помогу ему. Да и Василий Петрович сегодня утром тоже обмолвился, что моя помощь ему будет нелишней. Так что, оказав услугу вам, я легко могу оказать услугу и самому себе.

И, обняв Ингу за талию, Игорь предложил ей вернуться в Дубочки на его машине. Он будет личным гостем Инги. Гостем, который и проведет эту ночь в поместье. И не просто в поместье, а в самой усадьбе, куда его впустит Инга.

— Потому что, я уверен, действие развернется в хозяйском доме или около него.

— Мне опять стало страшно!

— Не надо бояться, еще слишком рано. Ведь я уверен: преступник начнет действовать лишь ночью. До той поры мы можем быть относительно спокойны. Хотя совсем бдительность терять тоже не следует.

— Как же мы с вами поступим?

— Вы вернетесь в усадьбу и будете неотлучно следовать за хозяевами, куда бы они ни направились.

— С Василием Петровичем могут возникнуть проблемы. Он не привык, чтобы за ним следили.

— Будем надеяться, что Василий Петрович сумеет уберечь себя сам. Вы же особенно внимательно оберегайте свою подругу.

— А вы?

— С наступлением темноты я приду к дому, а вы впустите меня. Дальше посмотрим по ситуации. Ну что? Согласны?

— Согласна. Но... но где же вы будете находиться до тех пор?

— Я найду, чем мне занять себя.

Неприятное чувство, похожее на ревность, вновь царапнуло Ингу за живое. Уж не к Марине ли намылился этот тип?

— Мне необходимо где-то спрятаться до наступления темноты, — увещевающе произнес Игорь. — Никто у вас в усадьбе не должен знать, что ночью я наведаюсь к вам.

Но до наступления темноты еще добрых шесть часов. И где он намерен их провести? Все-таки у Марины? Если так, то он просто негодяй!

И Инга решила: она во что бы то ни стало проследит за тем, куда отправится Игорь дальше. И если он намылился к Марине, то она... то ему... Инга просто не откроет ему дверь, вот как она поступит! Пусть толчется у закрытого дома, ловит преступников снаружи и мечтает тем прославиться и разбогатеть.

ГЛАВА 14

Игорь высадил Ингу перед въездом в Дубочки, помахал ей рукой и поехал дальше. По плану мужчины было необходимо, чтобы никто не догадывался о том, что они затевают этой ночью совместное дельце. Однако полного доверия к Игорю у Инги все равно не было. Нет, не то чтобы она его в чем-то подозревала, но, бредя по территории усадьбы, женщина все же не удержалась от возможности проверить своего союзника.

С этой целью она свернула к дому Марины и внимательнейшим образом осмотрела следы перед ее калиткой. Свежих следов машины тут не имелось, и вздох облегчения вырвался из груди Инги. Значит, Игорь сюда не приезжал. И все же на сердце у нее было неспокойно. Если Игорь поехал не к Марине, то куда он поехал? И у кого он был намерен пересидеть остаток дня вплоть до наступления темноты? В поселке имелось немало холостых дамочек, которые могли бы приветить у себя Игоря. Но таскаться по всему поселку и заходить в каждый дом с проверкой Инга, конечно, не могла себе позволить.

Так ничего и не придумав насчет Игоря, женщина вернулась в усадьбу своих друзей, где нашла лишь служанок и Алену. Василий Петрович до сих пор отсутствовал. И Нюши тоже не было. А она-то куда подевалась?

— Нюшу я отпустила домой еще до обеда, — пояснила подруге Алена. — Она сказала, что хочет вернуться к себе, чтобы всласть выплакаться.

— Бедная, она так переживает, — вздохнула Инга.

По дороге она заглянула также и к Нюшиному дому, но ей никто не открыл. Видимо, Нюша была не в состоянии справиться с нахлынувшим на нее горем и поэтому предпочитала прятаться от людей. Инга думала, что понимает Нюшу. Наверняка от слез у девушки распухли глаза и лицо. Во всяком случае, когда самой Инге иной раз случалось плакать, то лицо у нее становилось как арбуз — красным и блестящим.

Показаться в таком виде на людях она считала совершенно невозможным. Пряталась в ванной комнате до тех пор, пока ее не оставляли в покое. Ну а у Нюши в распоряжении был целый дом. Хотя надолго ли он будет оставаться в ее распоряжении? На этот вопрос, сам того не ведая, ответил Василий Петрович, вошедший как раз в эту минуту в нижнюю гостиную, где сидели также Алена с Ингой.

— Даже не представляю, — произнес он озабоченно, — как нам быть дальше с Нюшей?

— А что случилось?

— Где бедная девочка будет жить?

— Разве у нее нет крыши над головой? В чем проблема?

— Проблема в том, что дом этот оформлен на имя Вани. А он все свое имущество завещал...

Внезапно Василий Петрович осекся, виновато взглянул на Ингу и замолчал.

— Договаривай, Василий Петрович, — подбодрила его Инга. — Я уже наслышана о подвигах Вани на любовном фронте.

— Да? Ну, тем лучше, — все еще смущенно пробормотал Василий Петрович и продолжил уже значительно более бодрым тоном: — Так вот, по завещанию Вани дом будет переоформлен на нескольких здешних кумушек. Именно они, а совсем не наша с вами Нюша могут претендовать на то, чтобы жить в Ванином доме или использовать его любым другим образом. По закону сразу же после похорон Нюша должна будет освободить дом, в лучшем случае ей позволят пожить там до вступления завещания в законную силу. Но потом хозяйками в доме станут упомянутые в завещании кумушки.

— Попроси их продать дом тебе, — пожала плечами Алена. — Чего уж проще?

— Ты так думаешь?

— Жить кумушки в этом доме все вместе все равно не будут. Что это еще за коммуна бывших Ваниных пассий у нас в поместье! Или ты считаешь, что они устроят там музей светлой Ваниной памяти?

— Вряд ли. И как же мне поступить? — сомневался Василий Петрович. — Я не знаю! Даже если я выкуплю дом Вани у его наследниц, разве хорошо оставлять молодую девочку жить совсем одну в большом доме?

— Что же ты предлагаешь?

— Может быть, Нюша какое-то время поживет у нас?

— Тут?

— Да.

— В усадьбе?

— Если ты только не против.

На какое-то мгновение Алена заколебалась. А затем глаза ее блеснули и она пожала плечами:

— Конечно, я не против. Если ты считаешь, что так будет лучше, то я только «за». Ты же знаешь, Нюша мне как дочь. Я очень привязалась к этой славной девочке, которой сильно не повезло в жизни.

Василий Петрович просиял. Его явно сильно тяготила эта проблема. И теперь, заручившись согласием супруги на переезд Нюши к ним, он буквально светился от радости.

Пользуясь моментом хорошего настроения у мужчины, Инга не удержалась и спросила:

— А сколько именно кумушек упомянуты в завещании?

— Семь, — небрежно произнес Василий Петрович. — Ну, я пошел, переоденусь с дороги.

И ушел, оставив онемевшую от возмущения Ингу вместе с ее подругой.

— Семь! — прошептала Инга. — Нет, ты это слышала? Семь!

— Ну да, — равнодушно откликнулась Алена, мысли которой явно были в этот момент заняты чем-то другим. — Семь — это, наверное, те, с кем Ваня встречался постоянно.

— А что... могли быть и другие?

— Уверена, имелись и другие.

Инга отпала окончательно. Как? Есть и еще? Так сколько же этих женщин побывало в опытных руках Вани за последнее время? Одиннадцать? Двадцать? Тридцать пять? Или... или сколько же их было?

Но увы, Алена не могла удовлетворить любопытство своей подруги. К тому времени, как Инга обрела способность внятно изъясняться и сформулировала свой вопрос достаточно четко, Алены уже и след простыл. Оказывается, подруга отправилась на кухню, чтобы договориться с тетей Галей об ужине. Подруге следовало быть очень осторожной, отделяя часть еды для Вани, чтобы не вызвать еще больших подозрений у своей кухарки.

До ужина в усадьбе не произошло ровным счетом ничего примечательного. Да и после ужина тоже. А вот во время ужина Василий Петрович, озабоченно покачивая головой, сказал, что многое вызывает у него недоумение в отчетах экспертов, работавших с телом, извлеченным из покореженной машины.

— Рост не совпадает, вес не совпадает. Возраст и тот не совпадает. Только пол! В машине погиб мужчина, но Ваня ли это был?

Алена, сидевшая до того с рассеянным видом, мигом собралась. Ее явно насторожило желание мужа покопаться в этой истории. Но она не нашлась, что ему возразить. Алена лишь переглянулась с Ингой, которая и сама понимала: при настойчивости Василия Петровича, раз уж его что-то насторожило, долго Ване «в мертвых» не оставаться. Уже через день, максимум через два дня Василий Петрович узнает правду о том, что в машине погиб другой мужчина. И тогда хозяин Дубочков неизбежно задастся вопросом: а где же в таком случае его верный друг и соратник Ваня? Куда он подевался?

Так что с наступлением темноты, когда Василий Петрович, покряхтев, устроился у себя в спальне, Алена с Ингой прошмыгнули к домику садовника. Под мышкой у Алены прятался внушительный кусок мясного пирога, оставшегося после ужина. А Инга держала за пазухой кольцо колбасы, которое они обнаружили в холодильнике. Глазастая тетя Галя была отпущена сразу же после ужина, чтобы не подсматривала и не вынюхивала ничего ненужного. И чтобы потом не трепала зазря своим языком.

— Ваня, время реально поджимает, — произнесла Алена, едва дождавшись, пока тот утолит первый голод.

— Надо что-то делать, потому что скоро твое спасение уже ни для кого не будет тайной, — добавила Инга.

Ваня, внимание которого было вначале поглощено едой, поднял глаза на подруг.

— Кто из вас проговорился?

— Никто. Но Вася собирается делать повторную экспертизу твоих останков.

— То есть останков Антона?

— Если его не предупредить, то он всем растрезвонит о том, что ты жив и в катастрофе пострадал другой человек. А предупредить мы Васю тоже не можем, ты же понимаешь?

И снова хозяйка и телохранитель обменялись долгими понимающими взглядами, которые, признаться, порядком бесили Ингу. Ей тоже хотелось проникнуть в эту тайну. И тот факт, что на ее стороне были также Василий Петрович с Нюшей и все другие обитатели Дубочков, которые тоже ничегошеньки не знали о происходящем, нисколько ее уже не утешал.

— Плохо! — отодвинув тарелку в сторону, — произнес Ваня. — То, что я остался в живых, это был наш единственный козырь против врага. Глупо будет его не использовать.

Он так озаботился, что даже не доел мясной пирог. А вот колбасу, которую принесла Инга, все-таки доел. Но, отметив этот факт, Инга страшно устыдилась за себя. Какие глупости приходят ей в голову! Да еще сейчас, когда опасность сгустилась в воздухе до такой степени, что стала почти осязаемой. Ингу трясло от волнения, руки и ноги у нее стали холодными, а ладони — влажными.

— Так что будем делать, Ваня? Дольше ждать нельзя. Время работает не на нас. Если действовать, то прямо сейчас!

— Если вы готовы, Алена Игоревна, то я тоже хоть сейчас!

При этих словах лицо Вани стало собранным и каким-то угрожающим. Он снял со стула висящую на его спинке куртку, и Инга не без трепета заметила под курткой кобуру с пистолетом.

— А это... у тебя что?

— Оружие.

— А... а зачем?

— Значит, план такой. Алена Игоревна, вы выходите из дома и двигаетесь в направлении вашей любимой рощицы. А я звоню... сами знаете кому и приглашаю туда же.

И снова эти заговорщицкие взгляды.

— Бронежилет, как договаривались, принесли?

Инга вытаращилась на подругу. Какой еще бронежилет? О чем это говорит Ваня? Но, к ее удивлению, Алена в ответ на вопрос лишь коротко кивнула головой.

— Он на мне.

И распахнув курточку, продемонстрировала ровную блестящую ткань, покрывающую ее грудь, спину и живот. Ваня проверил, надежны ли крепления, и остался доволен:

— Отлично!

И тут Инга не выдержала:

— Отлично? Зачем Алене вообще понадобился бронежилет? В нее собираются стрелять?

— Будем надеяться, что преступники пожелают обставить все как несчастный случай. Это мне представляется наиболее вероятным развитием их сценария. Но все-таки никогда не следует пренебрегать дополнительной осторожностью.

Он снова внимательно взглянул в глаза Алене:

— Алена Игоревна, скажите мне, вы готовы?

— Да.

— Не сдрейфите?

— Никогда.

— И самое главное, не забудьте, вы должны со стороны для всех выглядеть неадекватной.

И Алена очень решительно кивнула, показывая, что больше разговаривать не о чем.

— Почему вы не можете сказать мне правду? — возмутилась Инга, когда они остались с подругой наедине.

Ваня вышел в соседнюю комнату, чтобы, по его собственным словам, мысленно собраться и подготовиться перед ответственной операцией. В чем заключался этот ритуал, он никому в подробностях не рассказывал. По его словам, это была смесь из различных обрядов, цель которых была привести разум, душу и тело в состояние повышенной боеспособности. Подготовить свой дух к предстоящему сражению.

И пока Ваня готовился, Инга подступила к Алене весьма основательно.

— Что у вас за тайны? — приставала она к ней. — Неужели ты настолько во мне сомневаешься?

— Инга, я не могу тебе сказать!

— Ну скажи!

— Нет.

И ничего-то у Инги не получилось. А уж когда ей было дано приказание отправляться к себе в спальню и ждать результатов там, она окончательно взбесилась. Виду, конечно, она своим друзьям не подала. Но в душе поклялась, что спать сегодня ни за что не ляжет и вообще к себе не пойдет. Вместо этого она последует за Аленой, куда бы та ни направлялась. Как поняла Инга, ее подруга должна выступить в роли подсадной утки, на которую охотник, то есть Ваня, хочет поймать крупную дичь.

Алену тревожило другое:

— Не слишком ли явно я подставляюсь? Вдруг они поймут, что это ловушка?

— Что вы! Небось решат, что вы снова хлебнули одной из настоечек, которые сводили вас с ума все это время!

И снова Инга ничего не понимала. Кто решит? Как имя этого человека или людей? И вообще хотя бы его пол можно было озвучить? Так нет же, противные Ваня с Аленой как нарочно разговаривали между собой таким образом и такими фразами, что Инга решительно ничего не могла уразуметь из их разговора. А ее очень интересовала версия о том, что же за враг такой объявился у них в Дубочках.

Таким образом, первой из усадьбы выдвинулась Алена. Она шла, странно раскачиваясь на ходу, словно пьяная или одурманенная, размахивала руками и даже время от времени вскрикивала что-то невразумительное. Одним словом, во всем следовала указаниям, полученным от Вани. По пятам за ней двинулся сам Ваня. Ну а замыкающей шествие должна была стать Инга.

То есть так должно было получиться в идеале. Но на самом деле Инга не представляла, на каком месте находится — на втором или на третьем, потому что, как ни старалась, Ваниной фигуры она не видела. И как ни крутила она головой, как ни всматривалась в кусты, знакомого силуэта или просто темного пятна не заметила.

Но Ваня был мастер маскировки. Обладая огромным телом, он умел оставаться незаметным, когда это ему было нужно. А уж в темноте и в окружении деревьев и кустарников проделать такой трюк ему было раз плюнуть. Единственным, что хоть как-то выдавало присутствие рядом с Ингой кого-то постороннего, были звуки его шагов. То палочка хрустнет, то ветка колыхнется, то встревоженная птичка сорвется на крик. Но сказать, кто это был — Ваня или кто-то другой, Инга не бралась.

Сама Инга, как она считала, двигалась совершенно бесшумно. Во всяком случае, Алена, которая шла впереди нее по дорожке, ни разу не оглянулась. И это было Инге на руку, ведь ее собственная маскировка не обманула бы даже и ребенка.

Сыщица захватила из усадьбы нож и у первых же деревьев срезала несколько нижних веток. Соорудив из них нечто вроде шалашика или шляпки с очень длинными, закрывающими ее почти до колен полями, Инга двигалась по краю дороги, искренне надеясь, что может при случае прикинуться кустиком или деревцем. Она вложила в сооружение своего шалашика немало умений, но результат, как она сама понимала, явно не оправдывал затраченных усилий. Темнота несколько помогала ей, но все же на близком расстоянии обмануть ее маскировка могла разве что слепого.

Наконец они достигли той самой злополучной рощицы, где на Алену напало чудовище. При одном только воспоминании о том, как они с подругой рыскали тут в поисках следов, у Инги по спине пробежала холодная дрожь.

«Что же сейчас должна чувствовать бедная Алена!»

Инга ощутила нечто вроде досады на толстокожего Ваню. И зачем только ему потребовалось организовывать ловушку именно в этом месте? Мог бы выбрать любой другой укромный уголок, благо их в Дубочках было превеликое множество. И совсем необязательно, чтобы они всей компанией...

Но тут мысли Инги были сбиты каким-то шорохом. Он звучал вполне явственно. И вскоре она поняла, что кто-то торопливо двигается по дорожке навстречу Алене. Этот кто-то совсем не хотел соблюдать тишину и осторожность. Он двигался быстро и производил достаточно шума, чтобы его можно было заметить еще издалека. Алена притормозила, а Инга, наоборот, прибавила ходу. Ей хотелось быть как можно ближе к Алене, когда этот кто-то появится рядом.

— Алена Игоревна, что же вы тут делаете? — раздался знакомый голос. — В лесу! Одна! Вы заблудились?

Услышав этот голос, Инга выдохнула и расслабилась. Слава богу, это не разбойник и не злодей, а всего лишь маленькая Нюша. Наверное, девушке стало одиноко в большом доме и она решила вернуться в усадьбу. Вот только почему она выбрала именно эту дорогу? Почему не пошла по оживленной и освещенной главной аллее? Зачем решила пробираться к усадьбе через рощу?

— Алена Игоревна, да в своем ли вы уме? — надрывалась Нюша, безуспешно допытываясь у Алены ответа.

Из этого Инга сделала вывод, что подруга не торопится разоблачать себя. И это ее сильно удивило. Зачем Алене понадобилось морочить милой девочке голову?

«А! — хлопнула себя по лбу Инга. — Алена не хочет, чтобы тот, кто наблюдает за ней из леса, понял, что с ней все в порядке».

Успокоившись таким образом, она застыла на месте. Между тем Нюша продолжала хлопотать возле ее подруги:

— Алена Игоревна, не годится это ночью одной гулять. Пойдемте, я вас провожу.

Алена держалась нейтрально, делала вид, что не узнает Нюшу, бормотала и даже временами начинала петь.

— Эк вас развезло, — с сочувствием произнесла Нюша. — Ну пойдемте, пойдемте со мной.

Однако, к удивлению Инги, девушка повела свою хозяйку совсем не в сторону усадьбы. И даже не в том направлении, откуда пришла она сама. Она повернула Алену в сторону деревьев и повела ее в лес!

«Это еще что такое? — вновь насторожилась Инга. — Куда это она ее тащит?»

Разумеется, она двинулась следом за женщинами. У нее еще оставалась слабая надежда на то, что Нюша знает какую-то короткую дорогу до усадьбы.

«Наверное, это суперсуперкороткая дорога, поэтому Нюша и завела Алену в лес», — утешала она саму себя.

Но вскоре Инге стало совершенно ясно: они движутся совсем не в направлении усадьбы. Они шли уже минут десять, как вдруг Алена произнесла совершенно нормальным и трезвым голосом:

— Куда мы идем?

— Алена Игоревна, — засуетилась Нюша, — вы только не беспокойтесь. Мы сейчас придем к Василию Петровичу.

Вот оно что! Василий Петрович тоже вступил в игру. И Нюша, похоже, у него на побегушках. Как хорошо, а то Инга уже начала волноваться, что молодая девушка замыслила что-то неладное.

— Мой муж? — удивленно завертела головой по сторонам Алена. — Он тоже тут?

— Тут, тут... Как вы? Вам лучше?

— Да, значительно.

— Вот и хорошо, — обрадовалась Нюша. — Значит, идите за мной сами, ладно?

Алена ничего не ответила, но послушно двинулась в том же направлении, что и Нюша. Время от времени Нюша оглядывалась на хозяйку, чтобы проверить, идет ли та за ней. И успокоившись, вновь двигалась дальше. Инге также не оставалось ничего другого. Перебегая от одного дерева к другому, она шла за женщинами. Так втроем цепочкой они и двигались дальше.

— Не нравится мне это почему-то, — шептала Инга. — Где же Ваня? Он нас не потерял?

Внезапно деревья впереди стали немного редеть. Затем мелькнули звезды и показалась луна. Инга с интересом уставилась в просвет. Где же это они оказались? Ясно, что неподалеку от усадьбы. Далеко они за это время пешком уйти бы просто не смогли. Но между тем рощица закончилась. Впереди был обрыв. И внезапно до Инги дошло. Это же тот карьер, где прежде добывался песок для всего ведущегося в Дубочках строительства.

Хозяйственный Василий Петрович решил, что нечего платить деньги за то, что буквально валяется под ногами, стоит лишь немного копнуть. Так что песчаный карьер был им уже основательно выработан. И если на первоначальном этапе строительства в Дубочках он больше напоминал пригодную для детских игр яму, то теперь разросся до вполне приличных размеров.

Также Инга вспомнила и о том, что карьер этот сильно досаждал Алене. Подруга считала, что рядом с домом нельзя ничего добывать, пусть даже других залежей песка на территории Дубочков и нету. То ли по ее настоятельным просьбам, то ли потому, что основное строительство уже закончилось, Василий

Петрович приказал закупать песок, а карьер оставить в покое.

Несколько лет подряд песок по краям карьера то и дело оползал вниз, образовывая на дне причудливые дюны. Потом сюда стали ссыпать все опавшие листья, сухую траву и прочий растительный мусор, которого по весне набирается много в любом хозяйстве. За истекшие годы попавшие на песок листья превратились в питательный перегной, в который были посеяны семена сосны. И вот теперь то тут, то там по всей площади карьера уже стали появляться первые сосенки, пока еще совсем маленькие и беззащитные, но могущие впоследствии украсить собой даже такое голое и запущенное место.

Периодически Василий Петрович заговаривал о том, что здесь можно было бы устроить трассы для гонок на багги, мол, для них тут достаточно живописно. Но пока эта идея так и осталась в стадии планирования, а карьер стал пустой и совершенно заброшенный, живущий своей собственной жизнью.

— Вот где мы оказались, — прошептала Инга, почувствовав, как по ее спине вновь пробежала холодная дрожь.

Она решительно не понимала, зачем Нюша привела сюда Алену, но упорно ждала появления Василия Петровича, которое могло бы все объяснить.

— Где же мой муж? — спросила Алена, причем в ее голосе Инге послышалась насмешка.

Но Нюша не так хорошо знала Алену, потому она ничуть не насторожилась.

— Василий Петрович ждет вас там, — произнесла она, протягивая руку в сторону карьера. — Посмотрите сами. Он внизу.

Но Алена не сдвинулась с места.

— Подойдите, — настаивала Нюша. — Взгляните.

— Зачем? Чтобы ты скинула меня в карьер?

— О чем вы говорите? — отшатнулась девушка. — Я? Вас? Скинула?

Голос ее звучал непритворно удивленно. Но еще больше удивилась словам подруги сама Инга, укрывшаяся среди последних лесных деревьев на опушке. Она понимала, что расследование вошло в свою последнюю стадию. И от души надеялась, что маскировка ее сослужит ей службу и сейчас. Да и двум женщинам, замершим на краю обрыва друг против друга, все равно, похоже, сейчас было не до нее.

ГЛАВА 15

Между тем Нюша первой не выдержала повисшего над карьером молчания и заплакала:

— Как вы меня обидели, Алена Игоревна! На меня и так столько всякого горя свалилось в последнее время, а теперь еще и вы подозреваете меня в злом умысле против вас.

— Скажешь, что на дне и в самом деле находится мой муж?

— Да!

В голосе девушки слышалась неподдельная искренность, и все же Алена не торопилась ей доверять. Вместо этого она негромко, но уже с отчетливой насмешкой в голосе произнесла:

— Видишь ли, девочка моя дорогая, я ведь теперь знаю, кто ты такая на самом деле.

— Я сама вам рассказала о том, что я дочь...

— Я знаю, чья ты дочь, — перебила ее Алена таким тоном, что добавить к сказанному было уже нечего.

И, шагнув ближе к Нюше, прошептала девушке что-то едва слышное, но отчего та перестала плакать в один миг. Теперь она смотрела на Алену с враждебностью, которую прежде ей удавалось ловко скрывать.

— Значит, не врете, — пробормотала она затем. — И... И кто вам сказал правду обо мне?

— А ты как сама думаешь?

— Василий Петрович.

— Нет.

— Кто же тогда?

— Ваня.

Нюша, которая ждала ответа, вся съежившись, как от холода, внезапно распрямила плечи, вздернула подбородок и рассмеялась.

— Вы меня обманываете! Ваня не мог вам этого рассказать. Он дал слово Василию Петровичу, что будет держать язык за зубами и скорее умрет, чем разгласит тайну.

— Ну вот... он и умер. Вернее, ему пришлось умереть. Ты же очень хотела, чтобы он сохранил твою тайну, верно? Тебе это было необходимо для реализации твоих планов.

— Но вы все же узнали правду, — настойчиво произнесла Нюша. — И как же это получилось? Ваня вам с того света явился?

Алена не ответила на вопрос. Вместо этого она сама спросила у Нюши:

— Смерть Вани — это ведь тоже твоих рук дело? Твоих и твоего сообщника, да? Правильно? Это вы на пару испортили тормозную систему у Вани в машине. А заодно повредили и рулевое управление.

К сожалению, Инга не смогла услышать ответа Нюши. Как раз в тот момент, когда девушка что-то ответила Алене, совсем рядом с Ингой раздался шорох. А затем кто-то мягко обнял ее за плечи, и знакомый голос прошептал ей на ухо:

— Не бойтесь! Это всего лишь я!

Инга повернула голову и в лунном свете увидела знакомые черты.

— Игорь, — ахнула она. — Откуда вы тут взялись?

— Шел за вами от самой усадьбы, — пояснил он ей. — Или вы забыли: этой ночью вы обещали пригласить меня к себе? Я ждал какого-то знака от вас. А потом увидел, что вы сами вышли из ворот усадьбы, и последовал за вами.

— Да, верно... Я про вас совсем забыла.

— Я не удивлен.

— Но тут такое происходит... Одним словом, вы должны меня извинить.

— А что именно случилось?

— Долго объяснять. Смотрите и слушайте сами.

И она махнула рукой в сторону карьера, показывая, что лучше им не шептаться между собой, а проследить за развязкой финальной сцены. Фигуры двух женщин были хорошо видны Инге. Их силуэты четко выделялись на фоне звездного неба. И она увидела, как, подбоченившись, широко расставила ноги Нюша.

— По-моему, вы спятили! — нахально заявила она Алене. — Нет, честно, все вокруг говорят, что вы не в своем уме, но теперь я вижу, что вы и впрямь куку.

— Твоими стараниями, девочка.

— А хоть бы и так! Что вы сейчас можете мне сделать?

Голос Нюши неожиданно изменился. Из заискивающего, робкого и ласкового он внезапно сделался громким, командирским. Пожалуй, он напоминал Инге чей-то другой голос, тоже очень хорошо ей знакомый, но вот только она никак не могла понять — чей именно. И еще эта новая Нюшина невесть откуда появившаяся привычка стоять, широко расставив ноги. У кого же Инга видела точно такую же позу?

Но прежде чем Инга сообразила, кого ей так сильно напоминает сейчас Нюша, та вновь заговорила. Голос ее звучал властно и требовательно:

— Вам надо посмотреть вниз! Там ваш муж! Честно!

— Никогда не поверю в это, — отрицательно покачала головой Алена. — А ты, моя девочка, основательно завралась.

— Не смейте меня так называть! — топнула ногой Нюша. — И... и знаете что... прыгайте туда!

— Прыгать?

— Да!

— Мне?

— Да!

— Но я же могу убиться, — улыбнулась Алена, хотя Инга и не понимала причины веселости своей подруги. — Тут очень высоко.

— Вот и хорошо!

— Мне так не кажется! Я совсем не хочу умирать.

— А мне нужно, чтобы ты исчезла!

На какое-то время воцарилась напряженная тишина. Нюша тяжело сопела, явно примеряясь, как бы ей поудобнее спихнуть Алену вниз. Но она понимала: Алена сильнее ее физически. И стоит она слишком далеко от обрыва, чтобы можно было скинуть ее туда одним движением. Вздумай Нюша тащить свою хозяйку к обрыву, между ними неизбежно возникла бы борьба. И еще не факт, что именно Нюша вышла бы из этой борьбы победительницей.

Но тут произошло нечто такое, что решительно спутало все карты. Внезапно в руках у Нюши появился маленький пистолет. Он был таким изящным, что навернутый на его дуло глушитель казался длинней самого оружия. Но несмотря на всю свою миниатюрность, крошка с глушителем выглядел достаточно грозно. Инга всей кожей почувствовала опасность, исходящую от этого куска металла в руках у девушки. И, кажется, Алена тоже это ощутила, потому что она притихла и растеряла весь свой задор. Зато Нюша, наоборот, подбоченилась и гордо взглянула на свою хозяйку.

— Ну что? Не ожидала?

— Ты не посмеешь.

Однако, несмотря на то что Алена пыталась бодриться, голос ее прозвучал совсем неуверенно.

— Конечно, стрелять в тебя мне бы не хотелось, — задумчиво произнесла Нюша.

И не успела Инга перевести дух и вздохнуть с облегчением, как гадкая девица добавила:

— Для меня было бы куда лучше, если бы ты сиганула вниз сама.

— Наличие пулевых отверстий на моем трупе неизбежно вызовет ненужную шумиху вокруг моей смерти.

— Видишь, ты сама все понимаешь.

Нюша давно перестала «выкать» своей бывшей хозяйке. Голос ее звучал теперь уже с триумфом.

— Так что? Прыгнешь сама? Это хороший вариант. Тебе все равно придется умереть.

— Нет.

— И ты не боишься, что я стану стрелять в тебя? — кровожадно осведомилась Нюша. — Всажу в твое тело одну пулю за другой! Прострелю тебе сначала колени, потом выпущу в живот остаток обоймы. От пули в живот сразу не скончаешься, зато выть от боли будешь долго.

— Меня услышат и спасут, — вроде бы спокойным тоном отозвалась Алена.

И одной только Инге было ясно, каких трудов стоило ее подруге выдержать этот тон, не упасть, не ударить в грязь лицом перед маленькой дрянью, возомнившей себя... кстати, кем она там себя возомнила? Почему Нюша вообще вздумала угрожать своей хозяйке? Она явно надеется, что исчезновение Алены позволит ей получить долгожданный приз. Но какую же выгоду надеется получить Нюша от смерти Алены? Почему ей так важно, чтобы хозяйка исчезла?

Однако Инга понимала, что с ответами на все эти вопросы можно и подождать. Сейчас главное — это разоружить Нюшу, устранить непосредственную опасность.

Инга повернула голову и озабоченно прошептала:

— Игорь, нам надо что-то делать.

— Я жду подходящего момента, чтобы вмешаться.

— Вы спасете Алену?

— Я восстановлю справедливость.

— О, Игорь! — буквально захлебнулась Инга от волны горячей благодарности, захлестнувшей ее чуть ли не с головой. — Я была права. Вы — настоящий мужчина и мой герой!

Она ожидала, что сразу же после этих ее слов Игорь немедленно кинется в бой. Но он очего-то мешкал.

— Чего вы ждете? Атакуйте!

— Нет, пока еще рано.

— Почему? Нюша держит на мушке мою подругу, мне кажется, наоборот, сейчас самое время!

— Нет, подождем.

Между тем разговор двух женщин, стоящих возле карьера, приобрел и вовсе драматический оттенок. Нюша, впавшая в бешенство, трясла своим оружием:

— Ты сдохнешь! Ты все равно сдохнешь! Последний выстрел я сделаю тебе в лоб!

— За что ты так меня ненавидишь? Я всегда была добра к тебе. Даже в ту пору, когда еще не знала, кто ты, я и тогда тебя не унижала.

— Разве? А само по себе мое положение прислуги в вашем доме, оно не было для меня унизительным?

— Но ты на него согласилась.

— У меня не было выбора!

— Выбор у человека есть всегда, — тихо произнесла Алена. — Творить добро или зло, решать только нам самим.

Но Нюша в ответ лишь злобно взвизгнула:

— Оставь свои поучения, святоша! Легко учить других, сидя на мешках с золотом! А как быть мне, когда я с детства была лишена всего? И все потому, что моему козлу папаше не было до меня никакого дела!

— Моя смерть не поможет тебе стать счастливой. Остановись, еще не поздно.

— Нет, — помотала головой Нюша. — Уже поздно. Сначала мы и правда не хотели тебя убивать. Думали,

что достаточно будет упечь тебя в сумасшедший дом,
пока мы тут обтяпаем свои дела. Но теперь тебя нельзя оставлять в живых.

— И у тебя хватит духу?

— Никто не услышит, никто не увидит, никто не
узнает! Меня не смогут наказать!

— Напрасно ты так думаешь. Наказание обязательно последует.

— И как же?

— Мой муж не успокоится, пока не найдет моих
убийц.

— А ему тоже недолго останется радоваться свобо-
де. Вжик-вжик — и он тоже отправится туда, куда отправляются все гады вроде него!

— Вася — лучший человек в мире.

— Прямо смешно это слышать. Да ты своего Васю
и не знаешь вовсе!

— А кто знает? Может быть, ты?

— Да! Я его знаю. И знаешь, почему я его знаю?
Да потому что я наблюдала за ним все это время. Все
ждала, когда же он... когда он...

Нюша не договорила. Ее истеричный голос внезапно смялся, потух, а в горле у девушки странно за-
булькало. Еще секунда, и Инга с удивлением поняла, что Нюша плачет. Пистолет в ее руках судорожно
подрагивал, казалось, она в любой момент может либо пальнуть из него, либо вовсе выронить.

И в этот момент Игорь решил действовать.

— Ну все, — прошептал он, поднимаясь на ноги и
отряхиваясь. — Мой выход!

С этими словами он засвистел какую-то детскую
песенку и направился в сторону обрыва. Инга оста-

лась за деревьями. Ей казалось, что ее появление будет преждевременным.

— Привет, привет, — зазвучал, как всегда, дружелюбный и располагающий к себе голос Игоря. — Кто тут плачет? Кто обидел девочку? Что у вас случилось?

— Осторожней! — крикнула Алена. — У нее пистолет!

Игорь услышал ее. Он остановился и с уважением в голосе пробормотал:

— О! Тут и впрямь оружие.

— Да, и я пущу его в ход! — выкрикнула Нюша.

— Пожалуйста, — ласково произнес Игорь. — Но лучше, если ты этого не сделаешь, ведь правда?

— Я должна!

— Ты никому и ничего не должна. Теперь у тебя есть человек, который позаботится о том, чтобы ты была счастлива.

И кто же этот человек? Инга была готова лопнуть от любопытства. Перед ней происходило нечто крайне важное, но она никак не могла уразуметь до конца, что именно.

Между тем Игорь заговорил с Нюшей еще ласковей:

— Моя дорогая девочка, — сказал он, — не шути так. Отдай оружие тому, кто знает, что с ним делать.

И с этими словами Игорь спокойно протянул руку, чтобы забрать у Нюши пистолет. Инга стиснула зубы. Она была уверена, что девчонка неадекватна, Игорю грозит огромная опасность. Теперь Инга уже не знала, за кого ей бояться больше — за Алену или за Игоря. Но, к ее огромному удивлению, Нюша лишь жалобно всхлипнула и без дальнейших пререканий отдала оружие Игорю.

После этого она залилась слезами, упав на грудь к мужчине.

— Вот и молодец, — похвалил он Нюшу. — Вот и умница.

Он задумчиво рассматривал оружие, одновременно поглаживая свободной рукой Нюшу по волосам.

— Игорь, вы гений! — воскликнула Инга, которая была просто не в силах сдерживаться.

Игорь повернулся в ее сторону и приветливо махнул рукой с пистолетом.

— Идите сюда! Опасности больше нет! Нюша обещает вести себя хорошо.

Обрадованная Инга выскочила из засады. Она бежала к друзьям, по пути срывая с себя ненавистные ветки, служившие ей до того маскировочным костюмом. Долой маскировку! Опасности больше нет. Игорь сам так сказал, а он разбирается в такого рода делах.

— Как же ловко вы обезвредили преступницу! — с восхищением воскликнула Инга, подбежав совсем близко к Игорю.

— Дорогая! — тут же отпустив Нюшу, распахнул ей свои объятия Игорь.

Инга порхнула в них, искренне убежденная в том, что все закончилось просто отлично. Сейчас они все вместе доставят назад в усадьбу чокнутую психопатку, посмевшую размахивать пистолетом перед носом у ее подруги, и поговорят там с ней по душам. Какой Игорь все-таки молодец! И какая она молодец, что познакомилась, а потом и подружилась с этим замечательным человеком, который в итоге спас их всех!

— Игорь, вы просто...

Инга собиралась сказать, что он волшебник или фокусник — одним словом, что-то приятное, что могло бы польстить самолюбию мужчины. Но в тот же миг, как она открыла рот для своей речи, она внезапно с удивлением почувствовала, как руки Игоря из нежных и ласковых внезапно сделались цепкими и крючковатыми. А холодный металл глушителя уперся ей прямо в висок.

— Игорь, что вы делаете? — пролепетала Инга чуточку испуганно.

Впрочем, она еще не осознала всей серьезности ситуации.

— Игорь, это вы так шутите? — робко поинтересовалась она. — Отпустите меня, пожалуйста, мне страшно.

Но в ответ услышала нечто и вовсе ужасное:

— Заткнись, курица!

В первый момент Инга даже не поняла, что эти слова относятся именно к ней. Да и голос Игоря звучал отрывисто и злобно. Он был совсем не таким, каким привыкла слышать его Инга.

— Курица? — растерянно пробормотала она. — Какая курица? Кто?

— Молчать, я сказал!

И следом за этим женщина ощутила, как холодный металл стукнул ее по голове. Было ужасно больно, но сознания Инга не потеряла. Только перед глазами замельтешили мелкие мухи. И в голове промелькнула мысль, что на месте удара обязательно будет здоровенная шишка. Инга была в состоянии шока. В один миг Игорь сорвал с себя маску ее друга и предстал в своем истинном обличье.

— Игорь, я...

Второй удар был сильнее первого. Инга не смогла сдержать стона, сорвавшегося с ее губ. И тут же она услышала голос:

— Не трогайте мою подругу! Она тут ни при чем!

Это кричала Алена, которая была так испугана, что ее лицо даже перекосилось от охватившего ее ужаса.

— Инга, зачем ты тут? Зачем ты пришла?

В голосе Алены слышалось отчаяние. Инга не стала ей даже отвечать. Во-первых, не знала, что сказать. А во-вторых, Игорь не дал ей такой возможности. Его рука зажала ей рот, но пистолета от ее головы он тоже не убрал.

— Видишь, как все просто? — обратился он затем к Алене. — У нас в заложницах твоя драгоценная любимая подружка. И ради того, чтобы она умерла быстро и не мучилась перед смертью, ты ведь сделаешь то, о чем мы тебя просим. Ведь верно? Сделаешь?

— Вы не посмеете причинить зло Инге.

— Почему же нет? Очень даже запросто. Заклеим ей рот скотчем и прострелим ей сначала селезенку, потом печень, потом всадим по пуле в каждую почку. Она переживет незабываемые минуты, прежде чем скончается от болевого шока.

— Что вам нужно? — едва слышно прошептала Алена. — Кто вы вообще такой?

— Скажем так, я опекун.

— Опекун? Чей опекун?

— Мой!

Это произнесла Нюша. И на сей раз голос ее звучал хоть и горделиво, но с каким-то совсем иным подтекстом. А взглянув в ее сияющие от счастья глаза, Инга мигом все поняла. Еще одна влюбленная идиотка, польстившаяся на сладкие речи и обаятельные ужимки милого Игорька. А он-то совсем не тот, за кого себя выдает. Вовсе он не славный парень, а отпетый негодяй.

Видимо, Алена тоже все поняла.

— Девочка, — с сочувствием произнесла она, — не верь этому человеку. Он и тебя обманет!

— Нет! Игорь меня любит.

— Ему нужно добраться до твоих денег. Вернее, до тех денег, которые ты надеешься унаследовать, как я понимаю, в самом скором времени.

— Игорь любит меня саму по себе, а вовсе не из-за денег! Ведь это правда? Да, Игорь?

— Ну конечно, дорогая.

Игорь даже не взглянул в сторону Нюши. Но даже одних его слов хватило, чтобы та вновь засияла от счастья.

— Вот! Слышали? Игорь меня любит просто за то, что я есть!

Она с торжеством смотрела то на Алену, то на Ингу.

— И что? — спросила Алена. — Разве ради этой любви необходимо убивать людей?

Но за Нюшу ответил сам Игорь:

— Убивать мы никого не хотели. Но ведь добровольно с деньгами вы бы не расстались, верно? Поэтому нам с Нюшей пришлось придумать план. Сознаюсь, чуточку жестокий, но ведь цель в конечном счете оправдывает средства.

— Вы негодяй! И девчонку втянули в эту историю тоже вы!

— Вот и неправда! Нюша сама проявила редкостную смекалку и изобретательность. Да и решительности моей малютке не занимать. Это ведь она сказала, что с вашим Ваней надо кончать. Он снова начал что-то подозревать, да, малютка?

— Следил за мной. Лазил ко мне в компьютер. Проверял мои звонки. Совсем как в самом начале. Помнишь, я жаловалась тебе, что он мне не доверяет и что он может здорово помешать нашим планам?

— Но ты была умницей все это время! Ты очаровала этого старого солдафона! Он втюрился в тебя, как ребенок.

— Да, это мне удалось сделать даже без особого труда. Он сам, убедившись, что я безвредна, пошел ко мне в руки. Конечно, мне пришлось потрудиться, чтобы отшить всех этих нахальных бабенок, с которыми он прежде спал. Но в конце концов ты всегда говорил мне, что секс для мужчины — это еще не повод, чтобы знакомиться хорошенько со своей дамой. И я рассудила: спать я с Ваней не буду, этого счастья у него и без меня навалом. Я буду для него этакой загадкой, неуловимой зимней феей. Я знала, что на него это подействует. Как-то раз он сам пожаловался мне на одну такую особу, которая заколдовала его, а как расколдоваться назад, он не знает да, положа руку на сердце, и не хочет знать.

«И кто же эта холодная красавица, заколдовавшая Ваню?» — невольно подумала Инга. Уж не она ли сама?

Но Нюша продолжала говорить дальше, и Инге пришлось последовать мыслью за ней.

— Влюбившись в меня, Ваня очень быстро остыл к своим бабам. Я видела, что он все больше и больше попадает под мою власть. Это было хорошее развлечение, я здорово повеселилась. Днем я прислуживала, изо всех сил стараясь втереться в доверие ко всем в усадьбе, к кому только могла. А по вечерам, оставаясь с Ваней наедине, я заводила свою игру уже только с ним.

— Зачем же понадобилось его убивать? — спросила Алена. — Ты же говоришь, он полюбил тебя?

— Он влюбился в меня, это верно. Но в то же время я понимала, какая бы страсть его ни снедала, он никогда не пойдет против своих принципов. Такой уж он был человек. Если он был предан своему хозяину, то скорее согласился бы умереть, чем предал бы его или позволил кому-то причинить ему вред. Ваня не мог стать нам помощником, а значит, от него следовало избавиться.

— И как же вы это сделали?

— Это было совсем просто, хотя готовились мы к этому долго.

— Воспользовавшись тем, что в мой праздник в доме было полно посторонних людей, а значит, подозрение в первую очередь пало бы именно на них, я открыла для Игоря дверь гаража. А потом проследила за тем, чтобы у Вани не осталось свободного времени и он забыл проверить, заперт ли дом на ночь так, как полагалось.

— Хитро.

— Спасибо, — улыбнулась Нюша, которая казалась теперь подругам просто отвратительной.

Подумать только, эта гадина жила с Ваней постоянно, вынашивала злые замыслы, а никто ничего не замечал! И с этой вечеринкой у Нюши все получилось прекрасно. Никто на нее и не подумал, ведь она могла испортить машину Вани в любое другое время.

— В общем, дверь в гараж я оставила открытой, а Игорь ночью покопался в машине. Он работал в автосервисе концерна «Мазда» и знал, как можно обмануть датчики на машине и что нужно сделать, чтобы испорченный автомобиль производил впечатление исправного.

Вот почему Ваня сменил свой любимый джип на другую марку. Его это заставила сделать Нюша. И это она все время исподволь старательно подготавливала почву для успеха задумки своего Игоря. Нюша не только открыла дверь гаража, дав дорогу своему сообщнику, но и позаботилась о том, чтобы в гараже стояла машина именно той марки, которая была хорошо знакома Игорю и в которой он мог бы всласть покопаться.

И тут Инга вспомнила еще одну вещь, которая в свое время заставила ее сбросить Нюшу со счетов подозреваемых.

— Но ведь тем же утром ты сама села в испорченную машину! Ты приехала в усадьбу вместе с Ваней. Он привез тебя к нам. Как ты не побоялась?

— Это было необходимо для моего алиби, — серьезно ответила Нюша. — И потом, Игорь заверил меня, что это совершенно безопасно. Неисправности дадут о себе знать не раньше чем километра через три. А от Ваниного дома до усадьбы гораздо меньше. Собственно, я могла бы спокойно прийти пешком, но мне не хотелось, чтобы у кого-то зародились сомнения на мой счет.

Нюша рассчитала верно. Помня, что девушка утром приехала с Ваней, никому и в голову не пришло, что она может быть замешана в порче его машины.

ГЛАВА 16

Какое-то время над карьером вновь стало тихо. Теперь, когда все карты были раскрыты, говорить было уже вроде как и не о чем. Однако кое-какие вопросы в голове Инги все же созрели. И даже рискуя вновь навлечь на себя гнев Игоря и получить от него очередной удар по голове, она все же не смогла удержаться и спросила:

— А как же Мария Петровна? Ее смерть — тоже ваших рук дело?

И заметив, какими быстрыми и встревоженными взглядами обменялись между собой преступники, поняла, что и тут не обошлось без их участия.

— Мария Петровна — случайная жертва. Не понимаю, каким образом к ней в бокал попал мескалин.

— Она допила мое шампанское, — пояснила Алена. — Случайно взяла мой бокал и выпила остаток. Я же сама сделала всего один глоток.

Бедная Мария Петровна! Если сильная и крупная физически Алена сделала один глоток и то «превратилась» в змею, то какие же демоны окружили старушку, когда она выхлебала всю отраву до капли? Неудивительно, что сердце пожилой женщины не выдержало тех ужасов, которые всплыли в ее искаженном мескалином сознании.

Но Алена заговорила вновь. Она обращалась к своим врагам — Нюше и Игорю:

— Значит, на том празднике вы планировали мою погибель?

— Да, от той дозы, что была в твоем бокале, тебя бы скрутило основательно. Твой муж не простил бы тебе позора. Все должны были увидеть, что ты совсем чокнулась. Тебя просто должны были отправить в дурку. Нюша давно уже подготавливала к этому почву.

— Днем нашептывала твоему мужу, а вечером Ване, что вас, Алена Игоревна, мне очень жалко, что я много времени провожу в вашем обществе и постоянно наблюдаю ваши приступы безумия. День и ночь твердила, что вы сходите с ума и нуждаетесь в присмотре опытных специалистов.

— Какая же ты гадина! — возмутилась наконец Алена. — А я-то ломала голову, почему мой Вася так странно на меня в последнее время смотрит. Каких только глупостей не передумала я! А виной всему ты — мерзкая девчонка!

— Не смейте меня так называть! Если бы вы знали, сколько мне пришлось вынести!

— По твоей вине погибла Мария Петровна! Она вообще была ни в чем не виновата!

— Мне очень жаль старушку, — залилась слезами Нюша. — Честно. Я чуть с ума не сошла, когда поняла, что произошло.

В разговор вновь вступил Игорь:

— Не ругайте мою девочку. Когда Мария Петровна умерла, ее смерть спутала нам все карты. Бедная моя Нюша, она совсем потеряла контроль над собой. Она позвонила мне вся в истерике.

— Но Игорь тут же примчался ко мне, — всхлипнула Нюша. — Он успокоил меня. Он объяснил мне, что ничего страшного не произошло. Мария Петровна все равно бы умерла, раз у нее было такое слабое сердце. Даже если это случилось потому, что она выпила шампанское с мескалином, которое предназначалось для Алены, все равно нашей вины в том нет.

Мария Петровна в любом случае бы скончалась, может быть, лишь несколькими днями или месяцами позже.

Ловко же умел Игорь пудрить мозги своей маленькой жертве. Впрочем, Инга общалась с ним совсем недолго, да и щупальца он не успел запустить в нее так основательно, как запустил их в Нюшу, но все равно она понимала, что Игорь — опытный манипулятор. Нюша не могла противиться ему, его обаянию и его доводам, насквозь лживым, но кажущимся такими правдивыми.

И еще теперь Инга понимала, куда бегала Нюша, исчезнувшая из дома по окончании своего праздника. Наверное, пока они все хлопотали возле тела Марии Петровны и разбирались с отъезжающими гостями, девушка отправилась на внеплановое свидание со своим Игорем. Он подъехал к дому Вани на машине, и он же подвез Нюшу назад, так что она почти не ходила пешком и даже не испачкала своих новехоньких туфелек.

В числе машин прочих приглашенных на праздник гостей даже выпендрежный «Мерседес» Игоря смотрелся заурядно. Но это была незапланированная заранее встреча, так сказать, форс-мажор.

— А как обычно вы держали между собой связь?

— Нюша звонила мне, и я приходил на наше условленное место.

— И куда?

— Днем Нюша не могла далеко уходить от усадьбы, где работала, а вечером она должна была находиться с Ваней, чтобы не вызвать его подозрений. Так что единственный выход, какой у нас был, — встречаться в роще, где так любили гулять вы, дорогуша.

Единственная опасность — что меня могли увидеть рабочие на стройке вашей будущей фабрики. Но они исправно работали, так что мне обычно удавалось обогнуть опасное место, пройдя по лесу и оставшись невидимым для них.

И, сказав это, Игорь посмотрел на Алену.

А в голове Инги вспыхнула очередная догадка. Так вот с кем видела Нюшу в рощице служанка из усадьбы! Она же сказала, что мужчина был не местный и блондин. Как же Инга сразу не поняла, о ком идет речь? Впрочем, ведь ей и в голову не могло прийти, что между Игорем и Нюшей есть какая-то связь.

— А зверь в рощице? — спросила тем временем Алена, мысли которой работали в своем направлении. — Страшное чудовище, которое меня напугало... Это тоже ваших рук дело?

— Рад, что мой сценический талант произвел на вас впечатление. План с выходом из леса неведомого никому чудовища, которого увидите вы одна, зародился у меня под влиянием театра, куда я заглянул из скуки. Но зашел и не пожалел. А ради того, чтобы спереть костюм Кинг-Конга, я даже поучаствовал в паре представлений, которые даются в Буденовке почти ежедневно.

Вот кто играл роль Кинг-Конга в спектакле уважаемых Теодоры и Фелиции! Это был Игорь! И вот почему женщины-актрисы так многозначительно и сладко улыбались между собой, когда речь зашла об исполнителе этой роли. Игорь и их всех успел там очаровать!

— Значит, вы притащили с собой в рощу костюм Кинг-Конга, украденный из местного театра, а потом выскочили из-за деревьев и напугали им меня?

— Я здорово повеселился, глядя на то, как вы улепетываете от меня! Уверен, те, кого вы встретили по дороге и кто видел вас в таком состоянии, получили неменьшее удовольствие.

— Вы хотели выставить меня перед людьми законченной сумасшедшей, — кивнула Алена. — И вам это почти удалось.

Нюша в ответ лишь злобно взвизгнула, указывая на Ингу:

— И если бы не приехала она, у нас точно бы все получилось! Это она начала вмешиваться! Это она сказала всем, что вы не сумасшедшая, что вам что-то подмешивают в еду или питье. Она начала искать виноватых. Она ужасно нам мешала!

Настолько ужасно, горько подумалось Инге, что хитрый Игорь даже был вынужден взять ее под свой непосредственный контроль. И как же легко у него вышло войти к ней в доверие! Нечего упрекать Нюшу, она и сама вела себя как круглая дура.

— Ты сухая палка! — верещала Нюша. — Я видела, какими глазами ты смотрела на моего Игоря. Я тебя за это ненавижу! Ты гадина! Ты тварь!

И пока Нюша сыпала оскорблениями в ее адрес, мысль Инги продолжала активно трудиться. Она совершенно не слышала проклятий девушки, а думала об одном и том же. И все же, почему бальные туфельки Нюши были на низком каблуке? Игорь хотя и сложен изящно, но он совсем не маленького роста, гораздо выше Нюши. Ради него она точно не стала бы надевать туфли на плоской подошве. Да и не было Игоря на ее празднике. Зато там был... там был...

Додумать свою мысль Инге снова не удалось. Голос Игоря прозвучал над самым ее ухом:

— Ну, хватит! Поболтали и будет. Пришло время заканчивать это представление. Оно слишком затянулось и стало скучным.

И прежде чем Инга успела что-либо произнести, он тесно прижал ее к себе и прошептал в самое ухо так, что слышала лишь она одна:

— Мне жаль расставаться с вами, честное слово. Когда я увидел вас в первый раз, то сразу же подумал, что вы можете добавить моей пьесе огоньку. Нюша очень милая девочка, но она скучновата для меня. А вот вы... Вы...

— Не знаю, кто я, по вашему мнению, — глухо произнесла Инга. — Но вот вы — настоящий мерзавец!

И она изо всех своих сил пнула Игоря по ноге. Она вложила в этот удар всю силу и поэтому совсем не удивилась, когда увидела, как скривился и согнулся в три погибели мужчина.

— Бежим! — закричала Инга, хватая Алену за руку. — Бежим скорей!

Однако им не удалось никуда убежать. Они сделали всего несколько шагов, как услышали раздавшиеся проклятия Игоря, а потом прозвучал приглушенный хлопок. Это был выстрел. В ту же секунду Алена пронзительно вскрикнула и упала на землю. Инга в ужасе взглянула сначала на подругу, а потом на спасительные деревья, росшие на опушке. Увы, до них было еще так далеко! Не было надежды, что ей удастся добежать самой да еще и дотащить туда Алену.

«Прощайте, мои дорогие», — мысленно простилась Инга со всеми, кого знала и любила.

Настал ее последний час. Она приготовилась к смерти и уже хотела закрыть глаза, чтобы не видеть гнусных физиономий своих обидчиков, но тут неожиданно из-за деревьев появилось нечто странное. Это было огромное существо, страшно косматое и черное. Но прежде чем Инга успела испугаться этого нового врага, существо пробежало мимо нее, не останавливаясь, и кинулось на замерших возле края карьера Нюшу и Игоря.

— У-у-у! — издавало существо низкий угрожающий рев и неслось на преступников.

Их перекошенные бледные лица свидетельствовали о том, что они тоже видят это чудовище и совершенно не понимают, откуда оно тут взялось.

Игорь сориентировался первым. Он поднял перед собой пистолет, а затем сделал несколько выстрелов. Пули ударяли чудовищу в грудь, но не причиняли ему видимого вреда. Чудовище продолжало переть вперед, тяжело топая ногами и завывая. И когда до злодеев оставалось чуть меньше метра, нервы у тех не выдержали. Между ними и спасительным лесом было чудовище, а позади них находился лишь карьер. И первой, все еще крича от ужаса, упала Нюша. А следом за ней отправился вниз и сам Игорь.

Чудовище сумело затормозить на самом краю обрыва буквально в последний момент. Какое-то время оно смотрело вниз, свесив лохматую голову на грудь, а затем внезапно потянуло себя за скальп и сняло со своих плеч голову!

— Мамочка, — прошептала Инга, увидев знакомое лицо Василия Петровича. — Вася, это что... ты? Мне не кажется? Это действительно ты?!

Но Василий Петрович ее просто не слышал. Он кинулся к лежащей на земле Алене и упал рядом с ней на колени.

— Алена! Аленка!

Он тормошил ее, но Алена даже не открывала глаз. Лицо ее было бледно, и она оставалась совершенно неподвижной. Инга не знала, что и думать. Неужели ее подруга погибла? Нет, только не это! Она этого не переживет! И когда отчаяние Инги выросло до предела, произошло нечто удивительное. Василий Петрович возвел глаза к ночному небу и громко закричал:

— Господи, я никогда и ничего не просил у тебя! Но прошу Тебя сейчас! Не забирай ее! Оставь ее мне живой! Если исполнишь мою просьбу, клянусь, построю Тебе такой большой дом, какой Ты только захочешь! И сам буду туда ходить! Каждый день! По два раза! Утром и вечером!

Инга, застывшая рядом с ним, не спускала глаз с лица Алены. Поэтому она первой внезапно увидела, как по губам ее подруги скользнула улыбка. И тут же восторг и облегчение разлились по всему телу Инги. Вот хитрюга ее Алена! Она и не думала умирать!

— Она жива!

— Алена, девочка моя! — принялся тормошить любимую жену Василий Петрович.

Но Алена поморщилась от боли:

— Поосторожнее. Мне в спину словно осиновый кол забили. Что у меня там?

Василий Петрович перевернул жену и с изумлением воскликнул:

— Да ты тоже в защите!

Смеясь от облегчения, он распахнул на животе мохнатый костюм и продемонстрировал гладкую ткань военного бронежилета.

И тут же Инга вспомнила про бронежилет, который Ваня заставил нацепить Алену. Как же она могла забыть про эту полезную вещь, которая и сохранила жизнь подруге! Впрочем, ничего удивительного в том не было. События последних минут были наполнены такими бурными эмоциями, что не одна Инга кое-что упустила из виду.

На спине у Алены красовался внушительных размеров синяк. Но по сравнению с тем, что там могло быть, это был сущий пустяк.

— Откуда ты взял костюм? — поинтересовалась Инга. — Это ведь тот самый костюм Кинг-Конга, в котором Игорь пугал Алену?

— Уверен, что да. Один паренек нашел его сегодня днем в лесу. Принес мне. А когда ко мне заглянул Ваня, то мы вместе решили, что костюм нам еще пригодится.

— Заглянул к тебе? — поинтересовалась Алена. — Когда это он к тебе заглянул?

— А сразу, как вы его ужином покормили и ушли, он ко мне и поднялся. Признаюсь, еще никого я не был так рад видеть, как его в ту минуту.

Алена сверлила мужа взглядом.

— Что ты так на меня смотришь? — тоже взглянул на нее Василий Петрович. — Вздумала рисковать жизнью и считала, что Ванька тебе это позволит? Ясное дело, он правильно сделал, что пришел ко мне и доложил, что вы затеяли.

— Все подробно доложил?

— Нет, не очень. Просто сказал, что если я хочу разобраться в том, что происходит у нас в Дубочках и кто пытался убить его, то я должен пойти с ним сегодня в рощу.

Сам Ваня тоже подошел к ним. За его спиной маячили и другие люди. И Инга с огромной радостью убедилась, что в Дубочках еще имелось значительное количество людей, преданных своим хозяевам и готовых ради них на любую жертву. Ведь все эти люди согласились пойти среди ночи в лес исключительно по зову одного лишь Василия Петровича, когда он сказал, что ему нужна их помощь. И эти люди тут же встали и выразили готовность идти куда угодно и хоть жизни отдать за своих хозяев.

— Почему вы так долго?

— Отстали, а потом и заплутали маленько. Старались держаться на расстоянии, ведь нелегко было идти за вами неслышно всей этой гурьбой.

— Жаль, что мы об этом не знали, — пробормотала Инга. — Я-то думала, что за нами идет один лишь Ваня, да и тот потерялся где-то по дороге.

Услышав ее слова, Ваня откровенно обиделся. И с горечью в голосе он воскликнул:

— Знал я, конечно, что вы меня не любите, Инга, как полагалось бы любить нормальной женщине. Но чтобы сказать про меня такое!.. Это же надо додуматься ляпнуть, что я потерял вас с Аленой Игоревной! Да вы обе топали так, что вас за километр было слыхать. Любой бы услышал, не только я!

Инга надулась, как частенько с ней бывало, когда Ваня принимался критиковать ее саму или ее высказывания.

— Ваня, у тебя других дел нету, кроме как к словам Инги цепляться? — спросила у него тут же Алена. — Только воскрес и снова за старое? И вообще забыл, как вы с Василием Петровичем хотели сдать меня в сумасшедший дом? Одна только Инга и встала на мою защиту. Так что помалкивай!

Ваня что-то проворчал себе под нос, мол, некоторым не угодишь. От смерти их спасешь, а они все равно недовольны. Поворчал, повернулся и ушел, оставив Василия Петровича наедине с женщинами.

— Ну? — спросила у него Алена. — Я дождусь от тебя извинений или как?

— Конечно! Прости меня, если сможешь!

— Ничего не обещаю, — важно произнесла Алена. — Сначала посмотрим на твое поведение, да, Инга?

Инга кивнула, а Василий Петрович просиял:

— Все равно, что ты говоришь. Ты жива и здорова, а это главное, — воскликнул он, целуя Алену. — Девочка моя, как я рад!

Но Алена не торопилась прощать своего супруга.

— Ты ошибся, — холодно произнесла она. — Твоя девочка сиганула минуту назад с обрыва.

— Ты это видела!

— Немедленно спустись к ней и выясни, что с ней.

— Не буду, — насупился Василий Петрович. — Пусть валяется где есть! Это отродье дьяволицы!

— Вася!

В голосе Алены был слышен металл. И Василий Петрович, немного побурчав, махнул рукой:

— Хорошо, пошлю людей, пусть посмотрят, что там и как.

— Нет, ты должен пойти сам, — настаивала Алена. — Я не могу, а ты иди!

И пока Инга хлопала глазами, не в силах уразуметь причину столь странного поведения своей подруги, Василий Петрович еще немного поворчал, но потом все же потопал вдоль карьера в поисках того места, где должен был находиться пологий спуск вниз.

— Почему ты так с ним разговариваешь? — удивленно спросила у подруги Инга.

— Почему? Да потому что там, на дне карьера лежит Нюша! То ли живая, то ли мертвая, а он заявляет, что пошлет к ней людей! Нет, пусть лично пойдет и удостоверится, жива ли его дочь.

— Кто дочь? — не поняла Инга. — Чья?

— Нюша — дочь Василия Петровича.

И взглянув на вытаращившую глаза подругу, Алена усмехнулась:

— А что? Ты разве сама этого еще не поняла?

Но Инга смогла лишь помотать головой. Но теперь она наконец понимала, кого именно ей напоминала Нюша. Она же дочь своего отца. И она была похожа не на кого-нибудь, а именно на Василия Петровича. Это сходство обычно совсем не бросалось в глаза, но когда Нюша злилась или, наоборот, важничала, то оно проявлялось очень четко.

— Подумать только... Она дочь Васи! И ты об этом знала?

— Знала, — кивнула Алена. — Недавно узнала. Мне рассказал об этом Ваня сразу же после своего воскрешения. Он сказал, что давно должен был рассказать мне правду и что его очень тяготило, что он этого не может сделать.

— Ну еще бы! Ведь он был связан клятвой, которую дал Василию Петровичу.

— А когда Ваня «умер», то счел и клятву недействительной.

И Алена тяжело вздохнула:

— А я ведь знала, что с отцовством у Нюши что-то нечисто. В паспорте отца не было, а между тем горничным она рассказывала о каком-то своем отце. Но я не придала этим рассказам особого значения, ведь я считала Нюшу любовницей Вани. И какое мне, в сущности, было дело до ее родителей?

— Хорошо, что Ваня тебе все рассказал. Иначе мы бы еще долго плутали в потемках.

— А злодейский замысел преступников вполне мог осуществиться.

С этими словами Алена, кряхтя от боли в спине, стала подниматься на ноги. Инга поспешила ей на помощь. И совместными усилиями им удалось придать Алене вертикальное положение.

— С левой лопаткой, чувствую, у меня еще будут проблемы, — пожаловалась подруге Алена. — Всадил мне пулю прямехонько в сердце. Если бы не бронежилет, летала бы я сейчас вместе с ангелами.

— Не обольщайся, — хмыкнула ей в ответ Инга.

Она была довольна тем, как все завершилось. Очень рада. Они все остались живы. Недоразумения между ними прояснились. И все они снова были между собой друзьями. Совместная беда не только не разрушила их отношений, она, наоборот, еще только крепче сковала их всех вместе.

Но оставались еще преступники на дне карьера. Как они? Живы ли?

— Маловероятно, — возразила Алена. — Край тут отвесный. А падать на спрессованный песок все равно что на бетон. Одно дело — если бы они скатились по склону, и совсем другое — когда они оба рухнули вниз с обрыва.

Алена оказалась права. Игоря поисковая команда под началом Василия Петровича нашла уже мертвым. Он сломал себе шею при падении. Нюшу они обнаружили рядом с ним. Ей повезло больше. Девушка была жива, но ее нижние конечности ей не повиновались. Обе ноги у нее оказались сломанными.

Василий Петрович ничего не сказал своей дочери. Напрасно Нюша ждала от него хотя бы слова. Убедившись в том, что дочь жива, хозяин Дубочков повернулся и зашагал прочь. Возиться с Нюшей, поднимать ее из карьера, а потом и госпитализировать сильно пострадавшую при падении девушку пришлось чужим людям.

Точно так же отстраненно и отчужденно Василий Петрович держался с Нюшей и потом. Даже в больницу, где она лежала, он поехать отказался.

— Достаточно и того, что негодяйка не очутилась в тюрьме за свои выходки и не умерла. Пусть благодарит бога за то, что ей досталась такая добрая мачеха. А отца у нее нет. Пусть забудет про меня. И на мои деньги, ради которых она столько дров наломала, тоже пусть не рассчитывает. Я уже написал завещание, по которому Нюша никогда и ни при каких обстоятельствах не получит после меня ни гроша!

Все вокруг понимали, что трудненько будет примирить отца с такой дочерью. Одна лишь Алена не теряла оптимизма.

— Рано или поздно все забудется, — твердила она. — Нюша совсем не такая уж плохая. Просто ей хотелось пожить хорошо и красиво. Но это ведь каждой молодой девушке хочется. А Игорь воспользовался ее желанием. Кто в этой истории и мерзавец, так это он!

Что же, Инга с этим утверждением была согласна на все сто процентов. Единственное, что ее интересовало: как же получилось так, что сама Алена не знала ничего о том, что у ее мужа имеется где-то взрослая дочь? Но правда была очень проста и в то же время горька.

— Нюша — это плод увлечения молодости моего Василия Петровича. Он сошелся с ее матерью ненадолго, а потом и думать забыл про эту женщину. Она о себе ему тоже не напоминала. Нюшу она родила и вырастила сама, не прибегая к помощи и материальной поддержке отца ребенка.

— Как же он мог поддержать ее, если ничего не знал о своей дочери! — заступилась Инга за Василия Петровича.

С тех пор, как он так геройски появился на краю обрыва, где они с Аленой уже прощались с жизнью, Инга еще больше оценила Василия Петровича. Если прежде он порой казался ей немного грубоватым, то теперь она с радостью прощала ему это, памятуя о проявленной им отваге.

— Ну как бы там ни было, а Нюша росла в довольно скромных бытовых условиях. И конечно, ей хотелось куда большего.

А тут еще умирает мать, единственная опора молодой девушки. Перед смертью женщина открыла дочери тайну ее рождения, назвала имя отца и сказала, что так как другой родни, способной позаботиться о Нюше, у них все равно нет, то надо ей ехать к своему отцу.

— Все эти годы я заботилась о тебе, теперь пришел его черед, — сказала мать своей дочери на прощанье. — Ничего, ты уже большая, пусть только образование тебе даст, а там бог ему судья. Захочет — станет помогать тебе и дальше. А нет, так ты и сама прорвешься. Мне вот тоже никто не помогал, а я всего в жизни достигла сама.

Сказав так, мать Нюши умерла. Девушка похоронила ее и задумалась над тем, что ей удалось узнать. Но если ее мать была человеком бескорыстным, то сама Нюша искренне полагала, что родители всегда обязаны своим детям помогать. И помогать не просто советом, а вполне ощутимой звонкой монетой.

— Каково же было ее разочарование, а потом и гнев, когда оказалось, что родной отец не торопится раскрывать ей свои объятия!

Больше того, Василий Петрович совсем не пришел в восторг, когда дочурка появилась на пороге его дома. Мягко говоря, сначала он ей просто не поверил. Но так как девчонка выглядела совсем жалкой, то он поселил ее в доме у Вани, попросив того присмотреть немного за ней. Когда же пришел результат теста на отцовство, Василий Петрович почувствовал себя совсем скверно. В один миг он оказался отцом взрослой дочери, то есть в роли, к которой он был совершенно не готов и которую даже никогда не репетировал.

— Кроме того, я не знал, как Алена отреагирует на появление у нас в доме моей незаконнорожденной дочери.

Таясь от жены и опасаясь огорчить ее, Василий Петрович попросил своего верного Ваню выдать Нюшу за свою племянницу. Прогнать дочь он теперь уже не мог. Уезжать девушка отказывалась. Конечно, можно было дать ей денег, купить квартиру и оплатить обучение в институте, но Нюша слезно умоляла отца оставить ее в Дубочках.

— Я так мечтаю узнать вас получше, — трогательно краснея, лепетала девушка. — Я буду вести себя очень тихо. Никому и словечка не пророню, кто я такая на самом деле. Клянусь вам в этом! И ничего мне от вас не нужно. Разрешите мне только пожить с вами немного. Я ведь осталась на всем свете совсем одна, мне страшно!

И мягкосердечный Василий Петрович уступил просьбам мелкой мерзавки. На самом деле Нюша никогда не питала к своему новоявленному папаше никаких нежных чувств. А уж когда она увидела, как богато живет ее папочка, она решила, что Игорь совершенно прав и ее отец нуждается в наказании.

По совету Игоря маленькая Нюша принялась старательно мутить воду в Дубочках, подготавливая грядущую смену власти. Притворяясь милой и полезной своим хозяевам, она старательно ссорила Алену с ее мужем, Василия Петровича с Ваней, а Ваню — с Аленой. Кроме этого, она активно распускала слухи о якобы свихнувшейся хозяйке, говорила, что Василий Петрович мухлюет с налогами и вообще кровопивец, каких еще поискать.

Не все, но многие из обитателей Дубочков ей верили. Особенно охотно верили россказням милой и приветливой Нюши те, кто жил в Дубочках еще недавно или появлялся тут лишь время от времени. Нюша оказалась умелым манипулятором. Ее стараниями супружеская жизнь хозяев пришла на грань если не разрыва, то серьезного непонимания друг друга. А по поместью поползли различные порочащие хозяев слухи, причем никто не мог точно сказать, откуда эти слухи берутся.

Хитрая Нюша была настоящим психологом, она точно знала, к кому можно сунуться, а кого лучше обойти сторонкой.

— И все это время за ее спиной стоял Игорь.

— А откуда взялся этот самый Игорь?

— Ну откуда берутся такие мерзавцы? Вылезают из разных щелей.

— Игорь вел себя чрезвычайно ловко, — вздохнула Инга. — Даже я попалась на его удочку. Он так умело лгал, что я никак не могла заподозрить его в неискренности. Представляешь, он даже рассказал мне, как наркотик попал в Дубочки, а ведь сам же его и покупал, это ли не верх наглости?

— Этот тип на все был готов, лишь бы втереться к нам всем в доверие и в нужный момент этим доверием воспользоваться.

— Враль был, каких еще поискать!

Алена кивнула головой и продолжила:

— Ну где Нюша с ним познакомилась, я не спрашивала. Но по образованию Игорь действительно юрист. Очень нечистоплотный, насколько я узнала. Он мигом смекнул, как на этом дельце можно поживиться, если действовать с умом.

Игорь сумел внушить Нюше, что ее отец задолжал ей уйму денег. Ведь он никогда не помогал ее матери. И девушка согласилась поехать в Дубочки, чтобы там стрясти с папочки должок. Поселившись в усадьбе, Нюша в полном соответствии с их с Игорем планом принялась плести интриги против своих врагов, то есть против Василия Петровича, Алены и Вани.

Первыми планировалось устранить Алену и Ваню. Оставшийся без поддержки своего друга и жены, Василий Петрович, успевший по-своему привязаться к милой и ласковой Нюше, доверявший ей, по мнению преступников, должен был стать легкой добычей для них. Как только было бы написано завещание в пользу девушки, недолго оставалось бы жить и ему.

— Но, к счастью, этого не произошло. Мы выстояли и теперь заживем лучше прежнего!

Алена знала, о чем говорит. Лечебные грибочки травницы Марины наконец-то сделали свое дело. Василий Петрович вновь почувствовал себя настоящим мужчиной. Он перестал цепляться к жене из-за всякой ерунды, от нервозности и порой даже хамства не осталось и следа. И гармония между супругами восстановилась.

А вместе с ней счастье разлилось и над всем поместьем. Тем более что Василий Петрович сдержал свое слово, данное им Господу, и отныне на лучшем месте в Дубочках высится красивая золотоглавая церковь, которую видно еще на подъезде к поместью. Так что теперь всякому, кто приезжает в усадьбу, без лишних слов совершенно ясно, что в этом мести люди живут хорошие, душевные и желающие всем только добра.

ОГЛАВЛЕНИЕ

Литературно-художественное издание

ДЕТЕКТИВ-ПРИКЛЮЧЕНИЕ Д. КАЛИНИНОЙ

Калинина Дарья Александровна

СВЕТ В КОНЦЕ БРОДВЕЯ

Ответственный редактор *О. Рубис*
Редактор *М. Бродская*
Художественный редактор *С. Прохорова*
Технический редактор *И. Гришина*
Компьютерная верстка *Г. Ражикова*
Корректор *М. Ионова*

ООО «Издательство «Эксмо»
123308, Москва, ул. Зорге, д. 1. Тел. 8 (495) 411-68-86, 8 (495) 956-39-21.
Home page: **www.eksmo.ru**   E-mail: **info@eksmo.ru**

Өндіруші: «ЭКСМО» АҚБ Баспасы, 123308, Мәскеу, Ресей, Зорге көшесі, 1 үй.
Тел. 8 (495) 411-68-86, 8 (495) 956-39-21
Home page: www.eksmo.ru   E-mail: info@eksmo.ru
Тауар белгісі: «Эксмо»
Қазақстан Республикасында дистрибьютор және өнім бойынша
арыз-талаптарды қабылдаушының
өкілі «РДЦ-Алматы» ЖШС, Алматы қ., Домбровский көш., 3«а», литер Б, офис 1.
Тел.: 8 (727) 2 51 59 89,90,91,92, факс: 8 (727) 251 58 12 вн. 107; E-mail: RDC-Almaty@eksmo.kz
Өнімнің жарамдылық мерзімі шектелмеген.
Сертификация туралы ақпарат сайтта: www.eksmo.ru/certification

Сведения о подтверждении соответствия издания согласно
законодательству РФ о техническом регулировании можно получить
по адресу: http://eksmo.ru/certification/

Өндірген мемлекет: Ресей
Сертификация қарастырылмаған

Подписано в печать 17.03.2014. Формат 84×108 $^1/_{32}$.
Гарнитура «Таймс». Печать офсетная. Усл. печ. л. 16,8.
Тираж 2000 экз. Заказ № А-731.

Отпечатано в типографии филиала
ОАО «ТАТМЕДИА» «ПИК «Идел-Пресс».
420066, г. Казань, ул. Декабристов, 2.

ISBN 978-5-699-71659-3

Оптовая торговля книгами «Эксмо»:
ООО «ТД «Эксмо». 142700, Московская обл., Ленинский р-н, г. Видное,
Белокаменное ш., д. 1, многоканальный тел. 411-50-74.
E-mail: reception@eksmo-sale.ru

По вопросам приобретения книг «Эксмо» зарубежными оптовыми
покупателями обращаться в отдел зарубежных продаж ТД «Эксмо»
E-mail: **international@eksmo-sale.ru**

International Sales: International wholesale customers should contact
Foreign Sales Department of Trading House «Eksmo» for their orders.
international@eksmo-sale.ru

По вопросам заказа книг корпоративным клиентам, в том числе в специальном
оформлении, обращаться по тел. +7 (495) 411-68-59, доб. 2261, 1257.
E-mail: vipzakaz@eksmo.ru

Оптовая торговля бумажно-беловыми
и канцелярскими товарами для школы и офиса «Канц-Эксмо»:
Компания «Канц-Эксмо»: 142702, Московская обл., Ленинский р-н, г. Видное-2,
Белокаменное ш., д. 1, а/я 5. Тел./факс +7 (495) 745-28-87 (многоканальный).
e-mail: kanc@eksmo-sale.ru, сайт: www.kanc-eksmo.ru

Полный ассортимент книг издательства «Эксмо» для оптовых покупателей:
В Санкт-Петербурге: ООО СЗКО, пр-т Обуховской Обороны, д. 84Е.
Тел. (812) 365-46-03/04.
В Нижнем Новгороде: ООО ТД «Эксмо НН», 603094, г. Нижний Новгород,
ул. Карпинского, д. 29, бизнес-парк «Грин Плаза». Тел. (831) 216-15-91 (92, 93, 94).
В Ростове-на-Дону: ООО «РДЦ-Ростов», пр. Стачки, 243А. Тел. (863) 220-19-34.
В Самаре: ООО «РДЦ-Самара», пр-т Кирова, д. 75/1, литера «Е». Тел. (846) 269-66-70.
В Екатеринбурге: ООО «РДЦ-Екатеринбург», ул. Прибалтийская, д. 24а.
Тел. +7 (343) 272-72-01/02/03/04/05/06/07/08.
В Новосибирске: ООО «РДЦ-Новосибирск», Комбинатский пер., д. 3.
Тел. +7 (383) 289-91-42. E-mail: **eksmo-nsk@yandex.ru**
В Киеве: ООО «РДЦ Эксмо-Украина», Московский пр-т, д. 9. Тел./факс: (044) 495-79-80/81.
В Донецке: ул. Артема, д. 160. Тел. +38 (032) 381-81-05.
В Харькове: ул. Гвардейцев Железнодорожников, д. 8. Тел. +38 (057) 724-11-56.
Во Львове: ТП ООО «Эксмо-Запад», ул. Бузкова, д. 2. Тел./факс (032) 245-00-19.
В Симферополе: ООО «Эксмо-Крым», ул. Киевская, д. 153.
Тел./факс (0652) 22-90-03, 54-32-99.
В Казахстане: ТОО «РДЦ-Алматы», ул. Домбровского, д. 3а.
Тел./факс (727) 251-59-90/91. **rdc-almaty@mail.ru**

Полный ассортимент продукции издательства «Эксмо»
можно приобрести в магазинах **«Новый книжный»** и **«Читай-город».**
Телефон единой справочной: 8 (800) 444-8-444. Звонок по России бесплатный.

Интернет-магазин ООО «Издательство «Эксмо»
www.fiction.eksmo.ru
Розничная продажа книг с доставкой по всему миру.
Тел.: +7 (495) 745-89-14. E-mail: imarket@eksmo-sale.ru